LUIZA
MAHIN

Armando Avena

LUIZA MAHIN

Os amores e a luta da líder da rebelião que reuniu todas as etnias para libertar os escravos e fundar um Estado Islâmico no Brasil

GERAÇÃO

Copyright © by Armando Avena
2ª edição – Março de 2020

Grafia atualizada segundo o Acordo Ortográfico da Língua Portuguesa de 1990, que entrou em vigor no Brasil em 2009.

Editor e Publisher
Luiz Fernando Emediato

Diretora Editorial
Fernanda Emediato

Estagiário
Luis Gustavo Barboza

Capa e Diagramação
Alan Maia

Revisão
Josias A. de Andrade

Dados Internacionais de Catalogação na Publicação (CIP) de acordo com ISBD

A951l   Avena, Armando
Luiza Mahin e o estado islâmico no Brasil / Armando Avena. - São Paulo : Geração Editorial, 2019.
232 p. ; 15,6cm x 23cm.

ISBN: 978-85-8130-431-1

1. Literatura brasileira. 2. Romance.
3. Romance histórico. I. Título.

2019-1925
CDD 869.89923
CDU 821.134.3(81)-31

Elaborado por Vagner Rodolfo da Silva - CRB-8/9410

Índices para catálogo sistemático
1. Literatura brasileira : Romance 869.89923
2. Literatura brasileira : Romance 821.134.3(81)-31

GERAÇÃO EDITORIAL
Rua João Pereira, 81 – Lapa
CEP: 05074-070 – São Paulo – SP
Telefone: +55 11 3256-4444
E-mail: geracaoeditorial@geracaoeditorial.com.br
www.geracaoeditorial.com.br

Impresso no Brasil
Printed in Brazil

Oh! por isso, Maria, vês, me curvo
Na face do presente escuro e turvo
E interrogo o porvir;
Ou levantando a voz por sobre os montes, —
"Liberdade", pergunto aos horizontes,
Quando enfim hás de vir?

CASTRO ALVES

Sumário

TUMBEIRO...11

I 13

A NOITE DO DESTINO...19

LUIZA...29

I 31
II 38
III 45
IV 52

AHUNA...59

I 61
II 64

A UNIÃO DOS DEUSES...73

I 75
II 83
III 88

SABINA E SULE...91

I 93
II 97
III 102

FERRAZ...105

I 107
II 113
III 118
IV 125

MORTE NA MESQUITA NEGRA...131

I 133
II 138
III 143
IV 146

A REVOLTA...151

I	153
II	158
III	164
IV	168
V	174
VI	180
VII	184
VIII	188
IX	191
X	195
XI	198
XII	202
XIII	212
XIV	215
XV	218
XVI	222

EPÍLOGO...227

TUMBEIRO

I

É pérola a noite no porão do navio, mas o luar ilumina apenas a dor e o sofrimento. O Henriqueta cruza o Atlântico lentamente, e houvesse atalhos no mar, ele os trilharia todos, para assim chegar mais cedo ao seu destino. Os que nele viajam sabem que a lentidão alongará a agonia, mas a rapidez pode significar desgosto maior: é triste o destino dos que veem o futuro como um espectro de mãos vazias.

A luz prateia o brigue, e a tripulação amaldiçoa a lua que parece a serviço dos ingleses. A claridade expõe o porão onde, amontoados em compartimentos separados por frágeis biombos, homens e mulheres, crianças e adultos viajam assentados em filas paralelas, tão próximos ao casco, que o balanço do mar e o cheiro forte do material usado na calafetagem recente embrulham os estômagos mais delicados, e o odor acre de vômito inunda o local, para logo se dissipar misturado ao fedor acerbo que exala dos costados da proa e da popa onde se localizam os vasos que recolhem os excrementos.

Ahuna não sabe se é o mau cheiro, a posição incômoda ou o ódio o que impede o encontro dos seus olhos com o sono. Acorrentado por argolas de ferro presas ao casco do navio, ele olha os homens ao seu redor. Resignada, a maior parte deles livrou-se das correntes submetendo-se às ordens e aos ditames violentos dos capatazes, uns poucos permanecem aguilhoados aos ferros e à sua revolta; todos, porém, parecem desolados, órfãos em sua escravidão. Soltos, muitos deles prefeririam jogar-se ao mar, trocando a escravidão em vida pela liberdade na morte.

Entregue a um sono buliçoso, o companheiro a quem Ahuna está atado pela corrente que perpassa as argolas, desperta de repente e, desarvorado, indaga, ofegante:

— Já chegamos? Já chegamos?

— Não. Acho que ainda há muito mar pela frente — responde Ahuna.

— Graças a Oxalá, meu pai — comenta o negro com alívio.

Ahuna indaga, ríspido:

— Dá graças por continuar neste inferno?

— Talvez lá o inferno seja maior, meu amigo. Era esse o meu pesadelo.

— Nem pesadelos eu tenho. Já não sonho mais — retruca, com uma expressão resignada.

— Lá se vão quarenta dias, nem um sonho todo esse tempo?

— Não — responde Ahuna, irresignado. — Em terra, na noite em que me fizeram prisioneiro, eu sonhei pela última vez. Ardia em febre por causa do ferimento, e quando dei por mim estava dando voltas ao redor de uma árvore. Depois, um homem branco acercou-se, ajustou as correntes em minhas mãos e levou-me, sem que eu esboçasse qualquer reação. "Um guerreiro não se deixa prender sem reagir, o que foi feito de mim?", indaguei ao meu carcereiro. "Esta é a Árvore do Esquecimento", respondeu e então contou-me o que se havia passado: "Durante um dia e uma noite nós o obrigamos a dar voltas em torno dela, e cada volta destruía um pouco da sua memória. Quando já não havia reminiscências foi fácil vencê-lo". "Então não tenho mais passado?", perguntei, assustado. E o homem branco respondeu: "Não, você não tem passado e não terá futuro". Com medo de ouvir a contestação, indaguei: "O que sou eu, então?" E o homem branco respondeu: "Você é um escravo". Acordei no meio da noite tomado por uma estranha nostalgia e, desde então, nem pesadelos tenho.

— Mas foi apenas um sonho, você não acredita nele, não é mesmo? — replicou o companheiro a seu lado, tentando consolá-lo.

— Eu acredito. Eles destituíram-me de tudo, arrancaram meu passado e eliminaram meu futuro.

— E o que ficou, então?
— A capacidade de rebelar-me. Revolto-me, só por isso existo — respondeu Ahuna, com raiva.
— E desde então você nunca mais sonhou?
— Não. Um escravo não pode sonhar. Um escravo pode apenas revoltar-se!

* * *

De repente, a voz de uma menina entoa uma canção tribal, e Ahuna põe as mãos no rosto e chora. E os versos, entoados como se fossem uma canção de ninar, fazem surgir por toda a parte pequenas pérolas brilhantes que logo se desfazem rolando nas faces negras. Olhos desolados buscam a origem do som que lhes cutuca o espírito, e à tristeza vem juntar-se uma estranha esperança. Sem que possam vê-la, a menina transforma o último verso da canção num refrão, a senha que faz cada boca cantar com ela.
— É a princesa...
— Os brancos lhe deram o nome de Luiza.
— Luiza... Princesa.

* * *

A luz do luar prateia o porão do tumbeiro, e a dor faz chorar as mulheres. E tanto choraram nesses dias, que as lágrimas, se doces fossem, poderiam matar a sede de muitas delas que sofrem com a pouca água que lhes dão. Algumas choram pelos filhos que deixaram mortos ou por aqueles que, fugindo do cativeiro, embrenharam-se nas matas preferindo a morte nos pântanos ao suplício nos negreiros; outras pranteiam os maridos, mortos tentando salvá-las, e há ainda aquelas que choram a pecha de adúlteras, inventada pelo próprio companheiro, para assim adquirir o direito de vendê-las como escravas.

As lágrimas não vertem apenas pelo que ficou em terra, são gotas de desespero minadas do horror com o que se depararam no tumbeiro que as carrega mar afora, e tanta dor encontraram elas a bordo, que não podem imaginar haver suplício pior no porto onde aportarão. Por vezes, o desgosto é tanto, que muitas desistem da vida, negam-se a comer a mirrada ração; outras não se negam a nada, tampouco nada querem, apenas enlouquecem em meio à viagem e, se pudessem, dariam graças aos deuses por lhes conceder a dádiva da loucura.

Não raro, um tripulante desce ao porão e arranca de lá uma adolescente que, se já não tinha alegria, deixa no convés o resto de esperança reservada para a nova terra. E nem sempre vêm dos tripulantes o sofrimento e a agonia, os cativos tratam de dar seguimento à violência e à humilhação; e quando podem, atacam e estrupam as negras, às vezes com rudeza maior, embora depois tenham a cabeça rachada pelo cabo do mosquetão do capataz.

A negra Edum acaricia a cabeça da jovem negra que repousa em seu colo. Consolando-a, tenta aplacar sua revolta:

— Não chore, há que ser forte quando nada mais se tem a perder.

— Não suporto mais este inferno — retruca, indignada. — O cheiro, os excrementos, os homens a bolinar-me a cada instante; e não só os brancos, mas também eles, os da minha raça, que quanto mais famintos, mais parecem desejar essa carne que não alimenta. Quero chegar logo, não importa aonde, quero chegar. Quero estar de novo em terra, ver o sol brilhar, mesmo que não seja meu sol.

— Não há brilho no sol do desterro — replica Edum, amargurada.

A jovem levanta a cabeça, e no fundo dos seus olhos cintila um desejo:

— Não importa que a terra que me espera não seja minha, ainda assim é terra e, mesmo cativa, poderei passear pelos campos, andar pelas ruas, mirar as estrelas. Qualquer coisa será melhor do que esta prisão dos mares.

Edum retruca com desaprovação:

— Será que você não entende! Nunca mais seremos livres. A desgraça tomou nossa liberdade.

— Ninguém pode apoderar-se inteiramente da liberdade alheia. Algo de bom nos espera.

— Engana-se, eles apoderaram-se da nossa alma. — A jovem volta a chorar, o rosto novamente assentado no colo da amiga.

Edum levanta-lhe a cabeça e vaticina:

— O que nos espera é a escravidão, e ela vai destituir-nos de tudo, arrancará nosso passado, dominará nosso presente e extinguirá nosso futuro.

A jovem indaga, chorosa:

— Então, o que nos resta?

— Revoltar-se.

* * *

De repente, a voz de uma menina entoa uma canção tribal. Edum põe as mãos no rosto e chora. E os versos, ditos em tom baixo e suave, fazem surgir por toda a parte pequenas pérolas brilhantes que logo se desfazem rolando nas faces negras. Os olhos desolados buscam a origem do som que lhes cutuca o espírito, e à tristeza vem juntar-se uma estranha esperança. Então, sem que possam vê-la, a menina transforma o último verso da canção num refrão, a senha que faz cada boca cantar com ela.

— É a princesa...

— Os brancos lhe deram o nome de Luiza.

— Luiza... Princesa.

A noite continua triste no porão do navio, mas a música consola a alma de quem ouve.

A NOITE DO DESTINO

Era véspera do domingo da Senhora da Guia. O porão do sobrado onde vivia o liberto Manuel Calafate, quase ao pé da Ladeira da Praça, bem perto do largo da Igreja de Nossa Senhora de Guadalupe, estava às escuras, embora a porta de entrada abrisse com frequência incomum e fossem muitos os homens que naquela noite atravessaram o umbral que se estendia corredor adentro até um salão ovalado nos fundos da casa, rente ao muro do quintal e cheio de assentos, como se preparado para abrigar uma assembleia.

A assembleia começaria em breve, logo que o Maioral chegasse, mas não antes de a Princesa aparecer. Cerca de cem negros estavam na loja, uns acocorados, outros em pé, a maioria sentada em bancos rústicos. Quase todos vestiam branco, um camisolão folgado de mangas curtas por cima das calças de brim e uma cinta de algodão perpassada sobre os ombros ou em torno do pescoço atravessando o peitoral e amarrada na cintura, com uma parte solta e pendente. Cobriam a cabeça com um barrete, e um deles ostentava um turbante que lhe cobria também a boca. Alguns pareciam nervosos e vez por outra olhavam para fora através dos buracos arredondados que davam para o rés do chão.

No centro da sala, além de Manuel Calafate, estavam Mestre Sanin, cuja indumentária, uma túnica zuarte com coxins de baeta de várias cores, destoava das demais e denunciava sua condição de alufá velho; Dandará, haussá liberto, de nome cristão Elesbão do Carmo, cuja condição de mestre muçurumim não lhe fora empecilho para tornar-se remediado como um branco; e Nicobé, de nome Sule, mestre dos escravos na Freguesia da Vitória, morada de negociantes ingleses afamados pelas excessivas liberdades que davam aos seus escravos.

Entre os mestres, apenas Pacífico Licutan, o mais santo deles, não estava presente, preso no calabouço da Câmara Municipal, não por crime cometido, mas para ser levado a leilão, de modo a, com sua venda, arrecadar dinheiro para pagar os débitos vencidos de seu dono, endividado até o pescoço com os padres carmelitas. Mas todos já sabiam que antes que o sol espraiasse completamente seus raios sobre a baía de Todos-os-Santos, o limano Licutan estaria em liberdade.

Duas cadeiras vazias indicavam a expectativa da chegada de Ahuna, o Maioral, o mais jovem dos mestres e líder da revolta, cujo saveiro vindo do Recôncavo já singrava as águas da baía, e da Princesa, ora motivo de apreensão e medo, pois, desde as cinco da tarde, ninguém dava conta do seu paradeiro.

Era uma noite especial. Aproximava-se o fim do Ramadã e o Lailat al-Qadr, a ceia que precedia o encerramento do jejum, era melhor que mil meses, melhor que 30 mil noites comuns, pois no dia dessa noite o arcanjo Gabriel deu ao profeta Maomé os primeiros capítulos da Lei. Os anjos que então desceram à Terra para executar os decretos de Alá também viriam à cidade da Bahia nesta noite dar início à guerra de libertação. A Noite do Destino seria de paz, mas só até o dia amanhecer.

A ceia tinha sido preparada com rigor. Aprígio e Belchior, que moravam no sobrado com Mestre Manuel, ficaram encarregados de convocar os negros e organizar a reunião, enquanto à negra Edum coube preparar o efó e o inhame para acompanhar o banquete encomendado a Maria das Chagas. Os negros fartaram-se, e agora bebiam leite e mel à espera da chegada de Ahuna, quando então acertarão os últimos detalhes do ataque.

Aprígio, negro forte e espadaúdo, com músculos rígidos retesados pelo peso das cadeiras de arruar, nas quais levava todos os dias, além dos senhores de escravos e suas esposas melosas, o ódio por os ter de carregar como se fosse uma besta de carga, estava ansioso e não via por que esperar por Ahuna e muito menos por Luiza, afinal todos que ali estavam sabiam que de madrugada os negros sairiam em armas pelas ruas e, num folguedo de matar branco, tomariam a cidade da Bahia.

Aprígio não gosta de Luiza, não crê em sua origem real; nela, admira apenas as carnes duras e a bunda arrebitada, mas detesta seu olhar arrogante, e não suporta saber que o menino que a segue pelo Gravatá, um pequeno mulato embranquecido de olhos verdes, é filho de um ricaço português dono de palacete na Ladeira do Pilar. E, no entanto, os demais negros a veneram, como se fosse uma princesa. Ele venera apenas a Alá, mas não nega a utilidade de Luiza à causa, e, embora sua idolatria iorubá faça dela uma cadela infiel, sua simpatia aos rituais muçurumins é um poderoso ímã que atrai os negros fetichistas e os aproxima da palavra do Profeta. Separados, eles são presas fáceis para os jagunços fardados; mas unidos, tornam-se poderosos. Por isso, admite curvar-se ante a suposta princesa, que tem precedência sobre todos eles, mas a ideia de torná-la rainha do povo negro, embora fosse esse o único desígnio capaz de unir nagôs, jejes, haussás, tapas e outros africanos, era um acinte a Alá e aos homens que dele descendiam. Após a matança dos brancos esse assunto virá à tona novamente, quando então ele imporá sua vontade colocando a cadela infiel no seu devido lugar. Agora, porém, o importante é inflamar os homens transformando o ódio no gatilho que fará a espoleta detonar.

É com esse espírito que Aprígio pede silêncio e toma a palavra, dirigindo-se ao mestre Sanin:

— Que estamos a esperar, Mestre? Os homens estão nervosos, é melhor dar início à assembleia imediatamente para que todos se inteirem dos detalhes do plano e possam descansar, guardando as forças para estripar os brancos ao alvorecer do dia.

Luís Sanin não respondeu de imediato. Era um negro velho, de testa proeminente e olhos apagados. A pele, estranhamente fouveira, contrastava com os cabelos brancos e a barba da mesma cor que se estendia em ponta até o meio do peito. Amigo íntimo de Pacífico Licutan, trabalhava com ele no Cais Dourado enrolando fumo, e sua prisão, injusta e inexplicável — pois, afinal, que patacas poderia auferir num leilão um negro velho e sem forças —, o abalou profundamente. Inconformado, ia todos os dias à Praça do Palácio levar comida ao amigo encarcerado na cadeia pública, no subsolo da Câmara Municipal, e chorava quando de lá saía, pensando na carga medonha que, em nome do Profeta, eles eram obrigados a carregar.

Sanin não era apenas um negro alfabetizado, era um intelectual, que lia e escrevia em várias línguas, e organizava os estudos dos negros malês, pregando na Rua da Oração, onde distribuía caderninhos com as rezas islâmicas escritas por ele mesmo e preparava os patuás, uma pequenina bolsa quadrada de couro ou pele, inteiramente costurada nos lados contendo uma sura corânica. Cada homem e cada mulher que ali estava, preparados para tomar a cidade e enfrentar os brancos, levava no bolso ou amarrado ao corpo um amuleto daqueles, que possuía o poder de desviar as balas e proteger de todo o mal, assim garantia o mestre malê. Sanin era também o principal aliciador dos negros infiéis e, ainda que eles confiassem mais na Princesa, ensinava-lhes os preceitos da religião islâmica e trazia-os ao seio do Profeta.

Estudioso do Alcorão, antes do degredo, era em sua terra um dos mais respeitados mestres muçulmanos e sacerdote de enorme comunidade. Desterrado, e já como escravo, aprendeu a língua haussá, o iorubá e o português, que falava com sotaque característico. Era respeitado entre os negros por sua idade avançada e pela maestria com que pregava a religião, mas a autoridade com que respondeu a Aprígio estava dada também por sua condição de financiador da revolta. Sanin era, por assim dizer, o banqueiro dos negros muçulmanos, chamados de malês. Responsável pela arrecadação dos recursos, recebia semanalmente as contribuições dos fiéis para assim viabilizar a compra de cartas de alforria e o sustento dos alufás. E, agora, possibilitava que cada negro ali reunido vestisse um abadá branco e o barrete adequado e tivesse nas mãos uma lança, um punhal, uma parnaíba ou um dos poucos bacamartes que fora possível comprar. E foi assim, fundado no seu posto e na sua autoridade, que Sanin respondeu a Aprígio, sem lhe permitir réplica:

— Abaixo de Alá e afora meu mestre Licutan, impossibilitado em sua desdita de estar conosco, Ahuna é quem lidera os homens e Luiza é quem lhes fala ao coração. Sem eles nada se realizará.

Mal disse essas palavras e sons ocos anunciaram que o Maioral se apresentava à loja. Ahuna era baixo e corpulento e trazia no rosto três cicatrizes curtas e uma mais longa e profunda em ambos os lados do rosto. Três cortes paralelos lhe tomavam a face e eram uma insígnia da sua origem, mas a quarta cicatriz fora feita na terra em que lhe quitaram a liberdade, e com ela, ele quis mostrar a seu povo o orgulho de sua descendência e afirmar que, embora escravo, ainda era livre. Assim, na primeira vez em que teve nas mãos uma lâmina afiada, reuniu os escravos no terreiro da senzala e, no centro da roda à sua volta, sob o olhar emocionado dos seus iguais, cortou profundamente cada lado do rosto e, deixando que o sangue brotasse e escorresse pelo seu peito nu, disse com a voz firme e pausada, típica de quem se obstinou: "A quarta cicatriz que marcará meu rosto será o talho da liberdade, o signo da revolta do meu povo, que um dia tomará as ruas desta cidade".

E a cidade estava prestes a cair em suas mãos. Os negros ali reunidos sairiam em armas ao amanhecer e, unindo-se a centenas de outros que se agregariam a eles vindos da Freguesia da Vitória, das Mercês, dos Mares, da Calçada e de toda a parte e a aqueles que se ajuntariam ao ver passar o exército libertador de Alá, tomariam a cidade da Bahia, matando os jagunços brancos e depondo os governadores da servidão para colocar em seu lugar uma rainha, a rainha do povo negro.

Avistando as luzes da cidade, a bordo do saveiro que o trouxe do Recôncavo, Ahuna sonhava com o alvorecer e agora, ao ser recebido com um silêncio aclamador por aqueles homens e mulheres e sabendo que às vésperas da guerra o silêncio é a eloquência da coragem, sentiu latejar o corte que trazia na face, como se a pele estivesse a lhe dizer que a liberdade estava próxima.

Entrou altivo na sala e, recebido por Dandará e Calafate, saudou mestre Sanin, depois, um a um, cumprimentou aqueles que ao amanhecer estariam sob seu comando. Quando todos se agacharam, ansiosos por ouvir seus planos, ele deu pela cadeira vazia a seu lado e indagou, correndo os olhos pela sala:

— E Luiza? Onde está a Princesa?

Ninguém sabia de Luiza, que havia muito devia ter chegado, e a apreensão tomou conta de todos. Ahuna chamou então a negra Edum, que estava sempre com ela, e indagou sobre seu paradeiro:

— A menina recebeu um recado do promotor, dizendo que desejava vê-la. Disse que passaria em sua casa e depois viria para cá — respondeu Edum, para quem Luiza nunca deixou de ser a criança assustada, cantando a bordo do navio maldito para espantar o medo e dar esperança ao povo.

Uma ruga dobrada uniu as grossas sobrancelhas de Ahuna, e o rosto inteiro se lhe amarfanhou. A figura de Ângelo Ferraz, o jovem promotor público que todos diziam estar louco por ela, lhe veio à mente e, antes da preocupação com sua integridade física, vieram o ciúme e a suspeita de que os galanteios daquele branco leitoso agradavam Luiza. Mas não se deixou levar pelos zelos e, após confabular com Dandará e mestre Sanin, indicou os homens que deveriam ir imediatamente em busca da Princesa. Quando os negros se preparavam para sair, Aprígio gritou, contestando a decisão:

— Espera aí! Que revolta é essa que se adia por causa de uma mulher? Que povo é esse que suspende os preparativos da revolução por causa dos caprichos de uma fêmea? É assim, reféns de uma mulher, que pretendemos implantar o estado islâmico que libertará todos os escravos. Todos sabem que o doutorzinho tem uma queda por Luiza e, se ela foi vê-lo, é porque deve ter também seus chamegos por ele. Se o chamado fosse do Martins, o energúmeno que comanda os jagunços fardados e quer nossos pescoços no fio da espada, a preocupação faria sentido, pois ele estaria atrás de informações sobre nossos passos e os dela. O Martins bem que desejaria prendê-la, para inquirir o que fazem os negros reunidos na sua quitanda. Mas o promotor? O promotor não está interessado nisso, não acredita numa revolta de negros na cidade, quer apenas passar a mão naquele corpo lindo. O promotor quer mesmo é comer Luiza.

O golpe atingiu em cheio o rosto de Aprígio mal ele terminou de pronunciar essas palavras, e foi tão forte, que o sangue escorreu por suas narinas no mesmo instante. Surpreso, ele voltou-se em guarda para seu agressor, mas foi contido por Belchior e Gaspar.

Com o punho fechado, Ahuna permaneceu em silêncio, esperando sua fúria espairecer, para só então declarar:

— Ninguém nesta sala tem o direito de difamar nossa rainha. A ninguém é dado o juízo para julgar seus atos. Ao amanhecer, invadiremos as ruas da cidade, libertaremos o mestre Licutan e, se for preciso, morreremos lutando por nossa liberdade e Luiza estará entre nós. Os homens dão sua vida por uma causa e a causa deve ser traduzida numa insígnia. A causa dos negros da Bahia é a liberdade e sua insígnia é Luiza Princesa. Sem ela, a revolta não se dará.

LUIZA

I

A menina chora ao ver distanciarem-se dos seus olhos as águas tépidas do litoral da sua terra africana. Chora a dor de ver seu pai, rei das tribos do antigo Daomé, na Costa da Mina, esquartejado pelos traidores do seu povo, que se uniram aos portugueses para fazer a guerra, não porque desejassem tomar o poder, mas apenas como pretexto para aprisionar os homens e mulheres, quitando-lhes a liberdade por um punhado de prata.

As lágrimas percorrem o oceano e agora choram a morte de mais de uma centena de negros a bordo do navio infernal e a dor que, em terra, aguarda aqueles que sobreviveram. A água ainda anuvia a vista da menina quando o tumbeiro se aproxima da baía de Todos-os-Santos, mas, estranhamente, seus olhos secam-se ao dar com a beleza do mar da cidade da Bahia e uma afeição alheia e inoportuna por aquela que não é sua terra entra sem autorização em seu espírito.

Se a dor não fosse tanta e a fome não corroesse minhas estranhas, eu poderia achar bela essa cidade, com seu céu azul e a baía mais azul ainda. Mas como posso admirar a beleza se as correntes amarram meu futuro, se aporto nessa terra como escrava, após ser amada como princesa.

Cambaleante e faminta, Luiza desembarca e corre os olhos embaçados pelo porto apinhado de gente. Eles se detêm num homem de casaca escura e camisa branca cheia de babados e, ao tempo em que uma inesperada premonição identifica ali o futuro, Luiza pensa que aquela vestimenta, como as correntes que aprisionam os negros, está em desacordo com o clima e o lugar. O estalar do chicote nas costas nuas de Ahuna — o guerreiro que mesmo travado pelas grossas cadeias não subjugou sua liberdade e a quem ela consolou com o canto por toda a cruel travessia — traz mais água a seus olhos e ela volta-se para si mesma, ensimesmando-se, olhando sem ver, escutando sem ouvir. Tamanho ensimesmar, incomum em uma criança que acaba de deixar o inferno e ainda traz as queimaduras em carne viva, chama atenção do armador José Cerqueira Lima e não lhe passa despercebido o talhe original do rosto e o olhar altivo da menina, que os desventurados que desembarcam, embora não possam sequer proteger a si mesmos, parecem querer resguardar.

Atrás de toda a sujeira e das costelas que espetam a pele posso ver quão belos são os traços dessa negrinha. Suzana vai adorar tê-la ao seu lado e, quem sabe, eu não possa derramar nela meu gozo quando estiver mais fornida em carnes.

Interessado, resolve levá-la para o palacete da Freguesia de Nossa Senhora da Vitória como um regalo para agradar a esposa, sempre disposta a abrigar mais uma mucama bem afeiçoada; e a si mesmo, afinal mais um par de anos e as formas desabrocharão naquele corpo, despertando, talvez, o desejo que parece esvair-se do seu corpo.

A senhora Cerqueira Lima tem pouco mais de trinta anos e o marido, velho e calejado por dois casamentos que findaram-se em viuvez, faz todas as suas vontades, ainda que não entenda seu interesse em ter sempre à sua volta meia dezena de escravas, todas bem fornidas em carnes, a quem veste e adorna com roupas de estilo vulgar, e muito menos sua disposição em fazê-las escravas de ganho, obrigando-as a tomar uma ocupação e a pagar-lhes diárias.

Os escravos explorados no "ganho" são numerosos na cidade da Bahia, e mesmo das casas mais abastadas dezenas deles saem pela manhã para trabalhar como carregadores, pedreiros, alfaiates e vendedores a oferecer seus produtos pelas ruas a pregão, voltando à noite para pagar a contribuição diária ao senhor e ficar com o excedente, se assim for acertado.

São numerosas também as negras que se dedicam ao "ganho" vendendo seus encantos. As senhoras de destacados comerciantes não se inibem em vestir e adornar suas escravas encaminhando-as à prostituição, prática comum na cidade da Bahia e aceita pelas negras que em troca recebiam a finta devida. A prostituição é um ofício capaz de devolver a liberdade, conquanto a um custo alto, pois se o ganho que dela se aufere dá acesso ao fim de determinado tempo à sonhada alforria, a degradação que a acompanha transformava-se em outro grilhão cujos ferros jamais se partem.

Mas José Cerqueira Lima é o maior traficante de escravos da Bahia, sua fortuna estarrece os exportadores ingleses e os presidentes de província, e não tem cabimento sua mulher amealhar alguma pataca explorando o "ganho". Ainda que veja nesse expediente um traço positivo do caráter da esposa, que demonstra certo tino para o comércio das gentes, muitas vezes censurou-a pela usura, ao que Suzana respondia não ser essa sua disposição, mas sim possibilitar às suas mucamas economizar algum dinheiro para lhes garantir, no futuro, o acesso à liberdade.

Convencido das intenções beneméritas de sua consorte e sempre disposto a mantê-la ocupada, de modo a não interferir em seus assuntos, Cerqueira Lima lhe disponibiliza as escravas de que necessita. E tão bem formada lhe pareceu aquela menina recém-chegada da Costa da Mina, que se dispôs a fazer-lhe mais um mimo.

Suzana rapidamente encantou-se por Luiza e percebeu hábitos e costumes na nova mucama em tudo diferente das demais. A jovem tinha um ar majestoso, sabia escrever, embora ela não entendesse as palavras grafadas em sua estranha língua, aprendia depressa tudo o que lhe ensinavam e vestia com esmero as roupas que lhe eram dadas. Logo inteirou-se que ela era filha de um príncipe africano e viu nisso um sinal de identificação, afinal também ela trazia nas veias a aristocracia dada pelo baronato conquistado com sangue e lealdade por sua família e vendido a peso de ouro ao comerciante de negros que tornou-se seu marido. E dispôs-se a continuar sua educação, ensinando-lhe a ler e escrever a língua da terra, a vestir-se à moda local e a comportar-se nos mais distintos lugares. Tão apegada tornou-se a senhora Cerqueira Lima à sua escrava iorubá, que seu marido identificou nesse comportamento um componente materno, natural em uma mulher sem filhos, e intuiu um período de paz doméstica.

Luiza logo percebeu que o instinto materno não tinha guarida naquele coração atormentado e submetido por toda a vida aos desejos masculinos, primeiro os do pai de Suzana, que reprimia com rigor qualquer vontade emanada do seu corpo ou da sua mente, depois os do marido com quem havia casado com menos de dezoito anos e a quem devia uma cruel e dolorosa iniciação no mundo do sexo, o qual algumas mulheres afirmavam ser o paraíso do prazer.

Por muitos anos, Suzana esperou que o homem a quem havia sido destinada lhe desse o prazer e o gozo que identificava no sexo que as negras faziam na senzala, mas Cerqueira Lima estava mais interessado em aumentar a riqueza acumulada com o tráfico negreiro e, nos raros arroubos propiciados pelo seu reduzido apetite sexual, satisfazia-se com as adolescentes emagrecidas recém-chegadas dos seus navios-prisões e que, inexplicavelmente, lhe atraíam muito mais do que as madames embranquecidas que pululavam nos salões da sociedade.

Desiludida e ávida por conhecer o prazer sexual, mas tolhida por uma repressão impossível de subjugar, Suzana valeu-se das escravas, as únicas mulheres a quem se permitia o gozo sem culpa, para assim ter acesso ao prazer. Foi então que transformou a primeira entre as suas mucamas, em "mulher de tarifa", explorando-a no meretrício, mas não retirando daí qualquer ganho, pois não cobrava dela a diária de direito, permitindo que amealhasse inteiramente o recurso necessário para sua alforria, dela exigindo apenas que lhe contasse em detalhes cada um dos seus encontros.

E assim, antes que o sol avermelhasse a baía, começava a vestir sua escrava com as peças que ela mesma comprava, sempre em dobro para vestir-se de igual maneira, e escolhia cuidadosamente a calça rendada que esconderia seu sexo, o pano suave para cobrir os seios, o adorno preparado para embelezar seu rosto e o perfume provocante para atrair os homens.

A escrava de ganho podia escolher os homens com quem se acostaria, cobrar deles o dinheiro que bem lhe aprouvesse, tendo uma única obrigação: voltar para casa antes da meia-noite, para, ainda com o cheiro dos homens no corpo, fechar-se no quarto da senhora, igualmente vestida de prostituta, tirar cada peça de sua vestimenta e excitar-lhe o corpo da mesma maneira que os homens da rua lhe haviam feito. Suzana prostituía-se com o corpo de suas escravas.

Ao longo dos anos, Luiza foi preparada pela senhora Cerqueira Lima para ser a mais bela entre as suas cortesãs, não apenas por sua beleza, mas porque nela identificou a si mesma, não como era em verdade, mas como gostaria de ser, livre e pronta para o amor. Com o tempo, a princesa da Costa da Mina, que no negreiro teve seu corpo protegido pela não sensualidade magricela da infância, por sua descendência e pela lealdade do povo negro, viu-o desabrochar--se em desejo, estimulado pelos hormônios que pareciam aflorar em sua pele e pelo toque lascivo dos homens e da senhora, que a bolinava todas as noites e, a muito custo, a mantinha virgem à espera do dia em que, fazendo-a meretriz, se daria aos homens por meio do seu corpo, revivendo sua primeira vez.

Ela perderá a virgindade assim como eu a perdi, verá suas carnes sendo rasgadas antes que qualquer fluido possa azeitar o ponto do prazer, e o sangue que de mim escorreu sem gozo, dela também escorrerá. Mas ao voltar aos meus braços seu choro se desfará em prazer em minha boca e minha língua será o bálsamo que lhe ensinará o que é o gozo.

Mas em Luiza o amor jamais poderia vir em forma de metal, ainda que ele fosse mais dourado que o sol quando iluminava o mar da cidade da Bahia e, embora fosse preparada cuidadosamente para a função, e cada peça de seu vestuário de prostituta tivesse sido escolhida com esmero, e cada perfume de sua toalete trouxesse o selo das mesmas perfumarias parisienses da senhora, e, mesmo sabendo que dali retiraria o ouro para viabilizar sua liberdade, negou-se a cumprir o papel de meretriz. Instada a se explicar, a adolescente que ainda não conhecia homem, porque assim havia ordenado sua senhora, respondeu com a determinação de quem obedecia às ordens da natureza.

— Sou escrava, minha Senhora, e há muito leio nos livros que "ninguém é mais escravo do que aquele que se julga livre sem sê--lo", mas não quero e não posso me fazer prostituta. Já me vejo na idade de conhecer homem e o conhecerei em breve, seja ou não aquele que desejo, pois ao quitarem minha liberdade fizeram do meu sexo parte do tráfico, mas o gozo que dele só eu posso tirar não pode ser escravizado. Ainda não completei catorze anos e sei que os homens me querem. Os senhores passam as mãos em minhas carnes e seu marido apenas espera a vontade aflorar para desvirginar-me e, assim será, sem que nada eu possa fazer. Mas se o estupro — e mesmo em uma escrava o sexo tomado sem consentimento não pode ter outro nome — pode dar prazer a quem violenta uma mulher, dela ele nada tira a não ser ódio e sede de vingança. Sei que estou destinada à lascívia dos senhores, mas isso se dará pelo destino que a escravidão me legou e não pela prata que, com meu corpo, eu possa amealhar.

Suzana não se surpreendeu com a verbalização coerente e bem elaborada de sua escrava, sabia que Luiza tivera acesso ao conhecimento e ela mesma propiciara o florescimento de seus dotes intelectuais, mas não atinou o motivo da negação, até porque sentia latente o desejo desabrochar no seu corpo e lhe parecia igual ser tomada pela força da autoridade do senhor ou pelo vigor do dinheiro, talvez mais poderoso e sensual.

— Seu destino, Luiza, assim como o meu, sempre esteve e estará nas mãos dos homens. Ciente disso, melhor que possa tirar deles o dinheiro que lhe garantirá a alforria, para então poder amar livremente — argumentou, tocando propositadamente no desejo de todo escravo. Luiza retrucou, altiva:

— Se para alcançar a liberdade, eu tiver de vender meu corpo, senhora, prefiro a liberdade na morte. Ser obrigada a ceder ao feitor, a cujo jugo estou inescapavelmente submetida pela vilania da escravidão, avilta meu corpo, mas não avilta meu espírito, apenas cultiva nele o desejo da revolta, mas ceder voluntariamente em troca de umas moedas, aviltaria meu corpo e meu espírito e, então, de que valeria a liberdade?

A senhora Cerqueira Lima não estava acostumada a ver contrariadas suas determinações e irritou-se com a altivez que se contrapunha à sua pusilanimidade, pondo a nu a fraqueza da mulher rica e poderosa, mas carente das escravas para satisfazer seu desejo. A vergonha desmistificou o apego que ela em verdade nunca teve pela escrava orgulhosa e arrogante e, sem força para encarar quem desdenhou de sua covardia, mas viciada na vilania da escravidão, sentenciou:

— Se é assim, em breve você será entregue por bem ou por mal aos homens que frequentam as ruas do meretrício, e para possuí-la não lhes será necessário gastar uma só pataca, e assim o vil metal não corromperá seu orgulho. Depois veremos o tamanho da sua arrogância e a temperança da sua altivez.

II

A notícia de que a Princesa precisava do seu protetor chegou ao Recôncavo antes que a senhora Cerqueira Lima pusesse em prática seu projeto e, em uma noite escura, um saveiro sem luz singrou a baía de Todos-os-Santos. Em pé, a mão tocando no mastro onde o vento inflava a vela, Ahuna contemplava as luzes da cidade da Bahia e pensava em Luiza, a princesa que o havia consolado no porão do tumbeiro e que tornara-se a mais bela negra da cidade da Bahia.

Ela lhe estava prometida, não por seu pai, morto na batalha sangrenta que antecedeu a captura dos negros vencidos e depois vendidos como escravos aos traficantes, nem por qualquer vínculo tribal ou real porventura estabelecido. Mas apenas pelo desejo dos homens e mulheres que, por mais de dois meses, velejaram pelo Atlântico em condições sub-humanas. E, se sobreviveram, foi porque Luiza lhes deu o consolo e a esperança, sem as quais a alma sucumbiria e ele lhes inculcou a rebeldia e o ódio aos brancos, pois sem isso não haveria motivo para manter vivo um corpo condenado para sempre ao grilhão da escravidão.

Foram os negros acorrentados no porão do Henriqueta que combinaram aquela boda, afinal os deuses haviam juntado no mesmo navio o guerreiro que não se curvava ante os ferros da escravidão e a Princesa que jamais perdia a majestade e, mesmo suja e andrajosa, a exercia por meio de seu canto. Os negros no Henriqueta transformaram em destino o casamento de Ahuna e Luiza, e todos sabiam que um dia ele se realizaria, embora a escravidão os tivesse separado mal aportaram na cidade da Bahia.

Ao deixar o negreiro, Luiza foi levada para o Palacete da Vitória, onde se tornaria mucama da senhora Cerqueira Lima, e Ahuna foi para a Rua das Flores, comprado pelo seu senhor, e depois para o Recôncavo, onde tornou-se o líder dos negros e não mais a viu por muito tempo. Nem sequer saberia distinguir perfeitamente os traços do rosto da menina, mas, apesar disso, ela lhe estava destinada. Cada passo que dava lhe era relatado em detalhes.

Foi para tomá-la em casamento e assim protegê-la, salvando-a da prostituição, que ele tornou-se um negro fugido e, escapando do engenho em Santo Amaro, bandeou-se para a capital onde os negros muçulmanos — e muitos que não o eram, mas o tinham por líder — estavam à sua espera, prontos para recebê-lo.

Ao descer do saveiro e ver mais de uma dezena de negros a lhe esperar no cais, embora já passasse da meia-noite, Ahuna cumprimentou-os um a um e disse, peremptório, para não deixar dúvida naqueles que ainda não sabiam a razão de sua presença:

— Vim para casar com a Princesa!

Havia muito os negros da Bahia esperavam por aquele casamento, acertado que fora no negreiro quando a voz da menina apaziguara a dor do guerreiro. Durante todo esse tempo Ahuna esperou, transformando o desejo em paciência, que a mulher desabrochasse em Luiza para só então realizar as bodas e, sabendo-a protegida, seguia seu destino de escravo cuja missão era levantar em revolta os negros da Bahia.

Mas o maldito Cerqueira, o imperador do tráfico na Bahia, não era capaz sequer de satisfazer a puta que o obsequiava, obrigando-a a saciar sua lascívia por meio das mucamas e, agora que o sexo em Luiza germinava, queria degradá-la, tornando-a seu objeto de prazer, e isso Ahuna jamais permitiria.

Ao saber do que se passava, tramou sua fuga do engenho em Santo Amaro e, embora sabendo que em seu encalço cada palmo de terra em volta da senzala seria vasculhado e que os capatazes não descansariam enquanto não o vissem cravado no pelourinho, veio à cidade da Bahia para salvar sua menina da prostituição e casar-se com ela. Não esperava tê-la ao seu lado, como seria se ainda vivesse em sua aldeia onde ela dividiria o trono com suas outras esposas, ou que fosse seu único homem, pois a escravos não é dado o direito à fidelidade. Seu intento era outro, queria fazê-la mais princesa ainda unindo-a em casamento com sua casta guerreira para, assim, torná-la o símbolo da liberdade negra na cidade da Bahia.

Para isso era preciso ser o primeiro a colher a gota de sangue, símbolo da sua pureza, e assim estariam unidos para sempre, e a Princesa se tornaria a consorte do guerreiro, do Maioral que um dia iria liderar a revolta e libertar o povo negro da Bahia.

Ahuna ainda não havia desembarcado do saveiro e, no escuro dessa noite sem luar, um grupo de dez negros de estatura impressionante já rodeava a mansão dos Cerqueira Lima na Freguesia da Vitória à espera de Luiza, para conduzi-la ao local em que desposaria o guerreiro.

Era sábado e Luiza, ciente de que o grande dia havia chegado, aguardava a vinda do seu noivo. Antes da meia-noite, às escondidas, as mucamas da casa a serviam como se fosse uma senhora e a preparavam para que, à noite, os negros viessem buscá-la e fosse levada para um sítio, próximo ao antigo quilombo do Urubu.

O sítio margeava a cidade e ficava no meio da floresta em um local de difícil acesso onde vivia uma comunidade ecumênica de africanos nagôs fugidos do cativeiro, muitos deles muçulmanos, outros crentes do candomblé, mas todos alimentados e protegidos pela vegetação da Mata Atlântica e pela pesca na lagoa do Urubu. Essa comunidade negra vivia em cabanas próximas às margens dessa lagoa e nessa noite estava em festa, pronta para receber Ahuna e Luiza numa comemoração única, em que o guerreiro muçulmano receberia como esposa a princesa da Costa da Mina.

Era madrugada quando Luiza saiu da Freguesia da Vitória, acompanhada pelos negros sudaneses que a levaram ao Urubu, onde em festa a esperavam seus pares. O sol estava prestes a raiar quando Ahuna chegou acompanhado dos negros que foram buscá-lo no cais e permaneciam ao seu lado, protegendo-o das patrulhas, mobilizadas em busca do negro fujão.

E poucas vezes entre os negros da Bahia se viu um casamento com tanta pompa. Dezenas de escravos largaram seus afazeres, pretextando assistir na madrugada daquele domingo a primeira missa cristã, e dirigiram-se ao Urubu para estar ao lado dos nubentes quando o limano Licutan realizasse a boda.

Luiza, impecável em sua beleza juvenil, usava um vestido branco sem alça, preparado especialmente pelas negras que faziam da costura o "ganho", que dava aos seus seios pontudos a função de segurá-los, e tão firmes eram, que nada mais se necessitava para manter a veste presa ao corpo. A cintura marcada pela pala do vestido era bem justa e fazia saltar seu quadril arredondado; e tão belo era o corpo da Princesa, que os deuses, não importa qual crença representavam, pareciam ter vindo todos apenas para vê-la vestir-se e desfilar. Seu rosto estava coberto por um véu de filó que parecia estar ali apenas para fazer imensa a vontade de levantá-lo e assim descortinar a perfeição daquele rosto de extraordinária beleza.

Luiza toda de branco, linda como uma terra sem escravos. Luiza de véu, desfilando lentamente ao som dos atabaques em direção ao altar. Luiza, bela como uma terra sem brancos, assim sonhava Ahuna, extasiado, vendo-a desfilar em sua direção.

Luiza será meu patuá, o amuleto a me proteger quando Alá decidir que é o tempo da guerra.

No altar, Ahuna a esperava, vestido com um camisão branco que lhe caía até os joelhos e se superpunha à calça turca. Na cabeça, usava um barrete branco, que realçava as quatro cicatrizes do rosto sempre impassível, mas que agora tornara-se impressionável, como se a visão de Luiza vestida de branco caminhando em sua direção fosse uma mensagem de luz enviada pelo Profeta.

Licutan aproxima-se do altar onde os noivos estão perfilados de mãos dadas, e a assistência, os homens à frente das mulheres, têm as mãos abertas e o corpo inclinado em sinal de reverência àquele que é o maior de todos os alufás.

Os noivos ajoelham-se e Licutan diz em voz alta os deveres de cada um e exorta-os a venerar os preceitos do livro e a cumprir sem discrepâncias suas obrigações, depois pergunta a cada noivo se o ato que será santificado pelo Profeta é o desejo espontâneo de ambos. Ante a aquiescência, Licutan entrega a Ahuna a caixa com as alianças, benzendo-as, ao tempo em que reverencia a Deus e ao Profeta: *Lá-i-lá-i-la-lau,mama dú araçú-lu-lai. Sa-la-lai-a-lei-i- saláma.*

Ahuna toma então o anel de prata e o coloca no dedo anular de Luiza, dizendo: *Sadáca do Alamabi.* Luiza põe então a corrente de prata no seu pescoço, toma sua mão direita e no dedo anular coloca o anel de prata que sela a aliança com seu príncipe consorte, dizendo também: *Sadáca do Alamabi.*

Os noivos voltam-se para Licutan, ajoelham-se e beijam suas mãos, marcando com isso a submissão deles ao Profeta, depois se beijam selando a união. De longe são muitos os muçulmanos indignados por verem uma infiel casar-se com o guerreiro de Alá na Bahia, mas poucos se dão conta disso e a festa que se segue enche de alegria o antigo quilombo e alegra o povo negro da Bahia.

Nessa noite, embora fossem muitos os resmungos de indignação, o canto tribal se mesclou ao cântico maometano e, naquele momento, mesmo que fosse impossível imaginar qualquer tipo de união entre o povo dos orixás e os adeptos do Islã, os negros perceberam que o casamento de Ahuna e Luiza selava essa aliança, embora muito tempo se passasse antes que as ruas da Bahia fossem tomadas por negros de todas as crenças.

Ao amanhecer, antes mesmo de a festa acabar, Ahuna levou a Princesa até a sua tenda para, assim, fazê-la sua mulher. Luiza deixou-se levar pelas mãos do destino que, se antes parecia ter a face da prostituição e da luxúria, agora tinha o semblante do guerreiro, líder de uma revolta anunciada. Resignada, Luiza aceitou a sina que os deuses lhe impuseram, mas nenhum dos sinais a atraía verdadeiramente. E se não podia admitir o amor como um ganho auferido nas ruas, tampouco amava o guerreiro que a protegia, embora amasse a causa que ele representava.

Enquanto tirava a roupa branca que a distinguia, para assim dar ao esposo a visão do seu corpo, uma estranha certeza perpassou seu espírito, alertando-a de que o destino nunca é definitivo antes que o seja. E, embora cada peça do vestuário que ia ao chão fizesse seu corpo estremecer levemente, preparando-a para o amor, algo lhe dizia que a hora de dar-se a um homem ainda não havia chegado.

E foi, quando já estava inteiramente nua, quando sentia pelo corpo a sensação indescritível de desnudar-se diante de um homem e no exato momento em que Ahuna, extasiado, a olhava admirado, como se olha uma deusa, após deitá-la suavemente no leito para cobrir seu corpo, que os tiros soaram graves, os gritos se espalharam por todos os lados e os cavalos, como bestas a serviço do ódio, invadiram o antigo quilombo.

Então, as mãos inteiramente dedicadas ao desejo de acariciar o corpo virgem de Luiza, tiveram seu intento desviado e foram em busca do facão que agora deveria protegê-la. Já com a parnaíba na mão, Ahuna olhou para aquela que era sua esposa sem ainda ter sido e disse:

— Eles vieram buscar-me. A mim e aos negros fugidos e não terei como protegê-la.

Apanhou um pequeno punhal sobre a mesa e entregou-o a Luiza, dizendo:

— Se for preciso, Princesa, enterre-o no ventre da puta que deseja torná-la sua igual, mas não se prostitua.

— Não será preciso — retrucou Luiza —, a força que há em mim carece do aço.

— Eu lhe prometo: se Alá não levar minha alma para o Paraíso esta noite, um dia você será verdadeiramente minha esposa e eu terei o seu corpo.

— Sim, meu guerreiro, você o terá.

* * *

Luiza ainda vestia-se quando Ahuna saiu do barraco e viu o inspetor André Marques, acompanhado de dezenas de jagunços, vindos do engenho Santo Amaro com ordens de trazê-lo de volta vivo. Marques não parecia preocupado com isso, gostava de matar negros e se um havia que ser preservado, outros morreriam em seu lugar, por isso atirava para todos os lados, sem medir as consequências.

Empunhando a parnaíba, Ahuna saiu disposto a encarar a morte e enfrentou de peito aberto as espingardas como se estivesse buscando encontrar imediatamente as virgens à sua espera no paraíso, mas os capatazes impediram que fosse morto. Via de regra, os senhores de engenho não queriam ver seu patrimônio transformado em sangue inútil, e o escravo fujão, especialmente quando era forte e atrevido, lhes era útil, pois aguentava o medonho castigo e o sofrimento dele proveniente, desencorajava os outros a fugir. Ahuna, o líder dos escravos do Recôncavo, deveria ser capturado vivo para fazer da sua punição um exemplo para todos os que se atrevessem a desafiar os senhores. Por isso, apesar de lutar feito um desesperado, sua vida foi preservada, e, acuado e ferido, foi dominado, ainda que preferisse morrer.

A luta resultou na morte de muitos negros sem dono e na prisão de outros e, antes que a madrugada tivesse o céu avermelhado pelos raios do sol, o fogo destruiu as casas da comunidade do Urubu.

Luiza escapou da refrega, secundada pelos sudaneses que a protegiam, e voltou ao Palacete da Vitória sem que ninguém desse por sua falta. Estava novamente ante a prostituição que parecia ser seu destino, mas os destinos são ciumentos e, se o de Luiza não permitiu a consumação do seu casamento, tornando-a consorte do guerreiro muçulmano, tampouco aceitou torná-la uma puta a serviço da lascívia da senhora Cerqueira Lima.

III

Vizinho ao palacete do armador Cerqueira Lima, na Freguesia da Vitória, morava, em sobrado amplo e arejado com sacadas ao fundo que permitiam a vista da vegetação frondosa e da imensa baía e suas ilhas, o comerciante inglês Joseph Crabtree, com sua mulher, Alice e Peter, o filho único.

Ao chegar de Londres, o casal demorou a adaptar-se ao clima da nova morada cuja umidade fazia desabrochar todo tipo de alergia pelo corpo do comerciante e de sua esposa. Além disso, o calor parecia predisposto a tornar insuportáveis as casacas e os sobretudos que ele insistia em usar, o que lhe aborrecia sobremaneira. Com o tempo, acostumaram-se ao clima e aos costumes da terra e, passados alguns anos, a simples possibilidade de retorno à sombria Inglaterra lhes parecia descabida.

Assim como com o clima, Crabtree tampouco convivia bem com a escravidão que mexia na sua sensibilidade e em seus brios, mas, tal como a alergia, terminou por acostumar-se, embora jamais compactuasse com seus ditames. Liberal por convicção, mostrou-se desde o início contrário ao tráfico de escravos já então combatido pela coroa britânica. Mas, sabendo ser impossível viver naquele sobrado monumental sem dispor de empregados domésticos, e não querendo desagradar as autoridades — até porque seus negócios exigiam o estabelecimento de laços com a sociedade local, toda ela envolvida de uma forma ou de outra com o mercado negreiro —, resolveu comprar uma leva de escravos grande o suficiente não apenas para suprir suas necessidades, mas também para posicioná-lo entre os mais ricos comerciantes da cidade. Não transigiu, porém, suas convicções e deu aos seus escravos prerrogativas consideradas excessivas e perniciosas pelas autoridades, garantindo-lhes determinados direitos, inclusive o de exercer livremente sua religião e promover suas manifestações culturais. Além disso, para horror dos políticos, do clero e da sociedade em geral, pagava-lhes uma remuneração, ainda que simbólica do ponto de vista financeiro. Afinal, a liberdade lhes seria legada mais cedo ou mais tarde, e era conveniente acostumá-los ao regime do trabalho assalariado.

Outros ingleses moradores da Freguesia de Nossa Senhora da Vitória também agiam de forma liberal em relação aos seus escravos, permitindo que recebessem amigos em suas habitações para rezar e festejar juntos; e Crabtree, a pedido do filho Peter, cuja afeição pelos negros parecia autêntica, foi mais longe, admitindo que eles construíssem um barracão no quintal do sobrado, onde se reuniam duas vezes por semana para orar e ensinar sua religião.

Os escravos de Joseph Crabtree eram quase todos de origem nagô, haussás em sua maioria, professavam a fé muçulmana e transformaram a palhoça nos fundos da casa em verdadeira mesquita, onde se louvava o Profeta lendo o Alcorão e recitando e transcrevendo as suras corânicas para que os iniciados pudessem memorizá-las, além de aprender a ler e escrever.

Os escravos James e Diogo levantaram a palhoça e ocupavam-se da organização dos cultos e das festas religiosas, enquanto o alufá Nicobé Sule presidia as reuniões, secundado por Dassalú e por Gustard, "mestres de escrever" e responsáveis pelo ensino e pela divulgação da religião.

Quando Luiza, ainda adolescente, percebeu que o sobrado vizinho abrigava um centro religioso e nele reunia os mestres malês, passou a frequentá-lo e, valendo-se das prerrogativas de favorita da senhora Cerqueira Lima, tornou-se assídua nas reuniões, e com facilidade aprendeu a ler e a escrever a língua do Profeta e a compreender a essência daquela religião capaz de congraçar os negros, dirigindo-os a um objetivo e a um ideal. Assim, ao tempo em que, pelas mãos dos preceptores da senhora, aprendia a escrever a língua dos donos da terra e assimilava sua cultura, pela palavra do alufá Nicobé Sule conhecia os ensinamentos do Profeta e as regras da fé islâmica.

Na mesquita da Vitória, Luiza Princesa enredou-se com as coisas da fé e lá também teve acesso pela primeira vez aos mistérios do amor. Ali, enquanto lia o Alcorão, viu pela primeira vez Peter Crabtree e apaixonou-se por aquele homem alto, cujo olhar parecia ter sido subtraído das águas da baía e cuja expressão era de delicadeza e timidez.

Se fosse dona do meu desejo só me permitiria o prazer com o homem que eu pudesse escolher. E poderei escolher muitos, pois sinto que meu corpo vai se entregar com facilidade ao amor, mas o gozo é dádiva de Deus, e tem de ser feito por querer. Se eu pudesse querer, daria meu corpo a esse moço branco cujos cabelos são como o ouro com o qual a Senhora quer comprar meu gozo.

O filho do comerciante inglês era alto e esguio, e as roupas mal-amanhadas e os cabelos louros sempre desalinhados davam-lhe um ar avesso ao dandismo. A figura da mãe, magra e sem graça, parecia emergir dos seus olhos azuis e os lábios exangues completavam a expressão delicada e de certo modo encantadora, especialmente para as mulheres acostumadas à grosseria dos homens da terra. Afável no trato e fluente nas palavras, em quase nada lembrava o jovem sombrio e taciturno que chegou à cidade numa luminosa manhã de domingo e até hoje tinha aprisionado em si mesmo a ideia de que naquele dia operou-se um milagre por graça da terra abençoada em que viera aportar.

Quando Peter chegou à Bahia algo mudou em sua natureza. A luminosidade e as cores exuberantes do lugar como que desanuviaram seu espírito, antes subjugado ao tom plúmbeo e monótono da Londres que ele detestava. O jeito expansivo e alegre do povo e a sensualidade dos gestos e expressões foram aos poucos destronando seu temperamento frio e tímido, tão próprio dos anglo-saxônicos, substituindo-o por um caráter mais cordial e brincalhão, que a ele mesmo surpreendia.

Em Londres, vivia enfurnado na biblioteca do Museu Britânico, a procurar nos livros a vida que florescia nas ruas ou trabalhando sem cessar no escritório comercial do pai. Alheio ao prazer e aos sentimentos, mal havia completado dezoito anos, seu pai, preocupado com seu excessivo recolhimento e o pouco interesse dispensado às mulheres, providenciou para que fosse recebido pela mais famosa das meretrizes da cidade, conhecida por seus dotes e pelos cuidados com que procedia a iniciação dos jovens das mais abastadas famílias inglesas. Peter não estava muito interessado, mas acedeu à insistência do pai e foi ter com a "desfazedora de anjos", como era conhecida nos *pubs* londrinos.

Esse primeiro contato não causou qualquer impressão ao jovem, pelo contrário, apesar dos esforços da dama, de sua pele alva e do seu corpo escultural, propício a despertar a libido dos adolescentes tímidos, não ficou excitado e uma indiferença inexplicável tomou conta do seu corpo, incapaz de atender os comandos emitidos por seu cérebro. Peter voltou muitas vezes ao bordel e deitou-se com outras mulheres na esperança de conseguir despertar seu desejo adormecido, mas foi inútil, e em cada uma dessas noites atormentadas o sangue, que deveria concentrar-se numa parte especial do seu corpo, parecia fluir para outros recantos fazendo-o invariavelmente empalidecer à simples visão de uma prostituta nua.

Creditava à timidez e à ansiedade, que tomavam seu corpo antes de cada encontro, a responsabilidade pela sua incapacidade de amar. Mas um dia, ao cruzar em Piccadilly Circus com uma negra sudanesa, alta e esbelta, ao sentir o cheiro que exalava do seu corpo, foi assaltado por um desejo irresistível e a seguiu desesperado pelas ruas da cidade até ser contido por um *"constable"*, sendo por ele admoestado a pedido da moça. Compreendeu então que seu desejo ansiava por corpos diferentes dos que desfilavam pela garoa da cidade, seus olhos buscavam a pele negra e luzidia das moças africanas e seu olfato inebriava-se com o cheiro especial que delas parecia exalar. Ou pelo menos assim parecia à sua imaginação, acostumada ao odor excessivamente perfumado das mulheres de sua terra. Percorreu então os bordéis da capital do império em busca da mulher que lhe desatinaria o desejo e logo compreendeu a tara do seu corpo: ele só era capaz de excitar-se com as mulheres negras.

A descoberta veio ao tempo em que seu pai comunicava-lhe a mudança para o Brasil, onde representaria os interesses da sua empresa e os da coroa britânica. E notícia melhor não poderia ser dada ao jovem ensimesmado que naquela selva de peles alvas jamais poderia encontrar o amor verdadeiro.

Ao aportar na baía de Todos-os-Santos, sentiu-se um novo homem e, mirando as negras a comerciar doces e quitutes, sorriu, feliz com a certeza de ter deixado na fria capital do Império o adolescente incapaz de amar que havia dentro dele.

Muito tempo se passou desde então, e seu corpo, ao qual o desejo jamais abandonou, teve muitas mulheres, todas elas negras. Ao completar trinta anos, intimado por seu pai, aceitou o casamento de conveniência, que ampliaria sobremaneira a riqueza e o poder de ambas as famílias envolvidas. A escolhida foi Dayse, filha do exportador Mellors, uma inglesa clássica de pele da cor das nuvens e corpo esguio e informe e uma cabeleira de um louro esbranquiçado que lhe dava uma expressão pura e desprovida de sensualidade.

Peter não tinha força para rebelar-se diante da vontade férrea do pai, e, acabrunhado, imaginava o quão desastroso seria aquele casamento, pois sabia-se incapaz de amar a mulher que lhe fora destinada, e tampouco seria capaz de satisfazê-la na cama.

Às vésperas do casamento, entristecido por saber que não poderia amar sua futura esposa, Peter foi à mesquita dos negros para acostumar o espírito ao destino inevitável e lá, pela primeira vez na menina de pouco mais de catorze anos que sempre estava ali, encarando-o, com um indefectível olhar de desejo, mas que nessa noite, exibia uma expressão desconsolada, e dos seus olhos negros e esgazeados vazava uma água de tristeza.

Aquela dor pareceu-lhe semelhante à sua, uma dor de quem se casa sem amor, uma tragédia de quem se entrega sem desejo; e aproximando-se, tornou-se amigo da linda menina negra que parecia desejá-lo e ouviu dos seus lábios a razão do seu desespero. Pôs-se a par da escolha a ela imputada pela senhora Cerqueira Lima e pelo destino que a fez princesa e agora lhe queria como meretriz:

— Obrigada ou voluntariamente, estou condenada a ser uma puta — disse-lhe, sem qualquer resignação.

Peter ficou surpreso com a história da princesa feita escrava e da sua senhora que desejava transformá-la em prostituta para, por intermédio dela, satisfazer seus desejos recônditos, mas ficou mais surpreso ainda com a inteligência e a capacidade de expressão daquela menina e com a intimidade que, em pouco mais de meia hora de conversa, havia se estabelecido entre os dois. Basbaque maior veio, contudo, no momento em que Luiza tomou-lhe as mãos e, apertando-as suavemente, lhe fez uma insuspeitada proposta.

— Eu quero ser sua. Quero entregar-me a você, deitarei em sua cama e assim me tornarei mulher com um homem que meu corpo deseja e não com aqueles que querem comprá-lo como fosse apenas carne. Serei sua por todo o sempre, enquanto seu desejo me quiser. E nada peço, a não ser que me livre da prostituição.

— Não posso fazer isso, Luiza. Vou me casar amanhã.

— E que importa isso? Sou uma escrava. Estarei sempre pronta a servi-lo e à sua esposa.

— Você não entende, Luiza. Não tenho desejo por minha esposa, tenho muito mais desejo por você, e é fácil avaliar o quanto. — Fez questão de mostrar que estava excitado e continuou. — Se fizer amor com você hoje, vou desejá-la ainda mais amanhã e depois e sempre e continuarei incapaz de consumar meu casamento.

— E por que vai se casar com alguém que não deseja? — indagou, Luiza, verdadeiramente perplexa.

— Os homens e as mulheres da minha terra fazem isso.

A princesa iorubá ficou a matutar durante alguns instantes; depois, com os olhos brilhantes, disse com a esperança de quem busca um príncipe salvador:

— Livre-me da prostituição. Leve-me ao seu quarto e me possua e eu lhe ensinarei uma mágica para excitá-lo quando estiver com sua futura esposa.

E assim o filho do comerciante Joseph Crabtree fez de Luiza sua amante às vésperas do seu casamento. E, como se a Inglaterra fosse uma peça de quebra-cabeça que se encaixava perfeitamente na África, os dois se amaram sem reservas, ávidos e verdadeiros, encontrando um tipo de prazer que só é dado a quem nada tem a perder.

Mas Peter casou-se e logo percebeu que tinha muito a perder. Dois meses se passaram e seu casamento não havia se consumado. A filha do exportador Mellors já mostrava sinais de descontentamento com a incapacidade de seu marido de excitar-se diante de seu corpo nu e por continuar virgem e pura, tal como havia chegado. O escândalo já prometia diversão assegurada à sociedade local, quando Peter implorou a Luiza a mágica que ela lhe havia prometido. A Princesa sorriu largo e, tocando-lhe levemente os lábios, disse:

— A mágica sou eu! Você vai satisfazê-la por meu intermédio.

E na noite em que finalmente desvirginaria sua esposa, Peter Crabtree entrou na alcova carregando uma camisola úmida de suor, impregnada do cheiro sensual que exalava da pele negra e sedosa da escrava iorubá. E por meio do cheiro de Luiza tornou-se homem para Dayse e consumou seu casamento.

IV

O armador Cerqueira Lima não regateou quando Peter Crabtree lhe ofereceu vultosa quantia pela negra Luiza, mas surpreendeu-se com a resistência quase emocional com que sua esposa se opôs à venda da mucama.

A oposição renhida de Suzana não teria qualquer efeito. Para Cerqueira Lima, o dinheiro era o senhor e, ele, o escravo. Mas Crabtree não deveria ter levado a escrava consigo na hora da negociação, pois aquele era um negócio de homens e, talvez, a presença da negrinha a houvesse melindrado, mas compreendeu o açodamento do inglês. Afinal, uma escrava com aquele porte e aquela altivez era capaz de enrabichar o mais frio dos ingleses.

A resistência de Suzana havia tornado a situação insustentável, e sua reiterada oposição poderia comprometer um negócio que seria bom para todos. Cerqueira Lima procurou então uma saída honrosa e, também interessado em satisfazer seus desejos antes de concretizar a venda, propôs adiar o negócio por dois ou três meses. Peter Crabtree não aceitou, argumentando que desejava comprar a negra para servir de mucama à sua esposa que sentia-se solitária e que o negócio deveria ser resolvido de imediato.

A reação de Suzana foi tão desproporcional, que denunciou uma certa neurastenia, e as negociações pareciam fadadas ao fracasso, quando Luiza pediu para falar e, com uma segurança incompreensível na sua condição de escrava, afirmou, quase peremptória:

— Eu entendo a senhora e me enaltece seu desejo de manter-me a seu lado. Ela quer que eu realize aquilo que ela acredita não poder realizar. Mas é pura modéstia da senhora Suzana, ela sabe que pode realizar seus projetos melhor do que eu. E, se ela desejar mesmo manter-me aqui, eu vou contar-lhe, Sr. Cerqueira Lima, que belo projeto ela vem realizando.

Embora todos percebessem uma nota de ironia nas palavras de Luiza, sua peroração foi suficiente para convencer a esposa do armador e, naquela noite, a escrava foi vendida por muito mais patacas do que imaginava receber seu senhor. Luiza passou então a habitar o sobrado dos ingleses, na condição de mucama da nova senhora e de amante do patrão.

Peter logo percebeu que a menina interessava-se vivamente pelo centro religioso onde se reuniam os mestres muçurumins e, liberando-a dos serviços pesados, permitiu que gastasse parte do seu tempo aprofundando seus conhecimentos na língua e na religião do Profeta. E assim, nos anos que se seguiram, a mesquita da Vitória passou a ser ponto de referência para os escravos da cidade, pois ali vivia Luiza, a princesa que representava a realeza dos negros da Bahia.

Mas a paz reinante no palacete dos Crabtree foi momentânea. Com o tempo, a esposa de Peter percebeu que o desejo de seu marido por ela tinha origem na escrava negra e foi tomada por um ciúme enlouquecido. Confrontado com as vestes de Luiza que trazia junto ao corpo sempre que necessitava cumprir suas obrigações matrimoniais, Peter cometeu um erro imperdoável em se tratando de uma mulher apaixonada: contou-lhe a verdade.

— Ela é apenas uma escrava, mas seu cheiro me produz tamanha excitação, que valho-me dele para lhe fazer feliz.

A resposta veio imediata e coerente com a lógica de quem ama.

— Se seu amor por mim só se realiza por meio do corpo e do bodum dessa escrava maldita, não quero mais esse amor.

Ele confessou então que sabia ser tudo isso fruto de sua imaginação, mas sem sentir o cheiro da escrava seu desejo se esvaía. Longe de acalmar o furor da esposa, a revelação a exasperou e, irredutível, ela sentenciou:

— Não posso admitir que seu desejo por mim dependa da inhaca de uma escrava. Livre-se dela, ou volto para casa de meus pais. Prefiro-lhe impotente, mas inteiramente meu, do que vigoroso por obra do bodum de uma negra.

Peter Crabtree meteu-se numa camisa de onze varas. Não queria afastar-se de Luiza, tampouco desejava pôr fim ao seu casamento, não apenas por sua posição na sociedade, mas principalmente pelos negócios que o uniam à família de Dayse. Como sempre, sem forças para tomar um decisão, contou tudo a Luiza, esperando dela outra solução mágica. Mas, ao saber do que se passava, Luiza apressou-se em remediar o que, para ela, já estava remediado.

— Meu Senhor, a solução está dada, pois há um tempo para ficar, outro para ir. E essa é minha hora de ir. Vivi aqui durante anos, aqui aprendi a amá-lo e não tenho como agradecer-lhe tudo o que fez por mim. Mas é chegado o tempo de partir e, se a senhora assim o deseja, talvez seja este o momento adequado para livrar-se de mim.

— Não posso viver sem você, Luiza — retrucou Peter, desanimado. — Ademais, de onde virá o perfume que desperta meu desejo?

— Há outras negras na casa.

— Nenhuma delas me satisfaz tanto quanto você.

Luiza refletiu por um momento, consciente da força das palavras que sairiam da sua boca:

— Em breve já não poderei fazê-lo, meu Senhor. Estou grávida.

Peter ficou surpreso com a informação, um ricto de preocupação enrugou sua testa e a comissura dos lábios fez um movimento descendente. Na expectativa do que ouviria, indagou:

— É meu o filho que você carrega?

— Não — retrucou, Luiza, sem hesitação. — O pai da criança é o fidalgo José Luís de Carvalho Albuquerque.

E então Peter Crabtree soube que a fama da escrava a quem chamavam de Princesa e da sua beleza inigualável havia atravessado a cidade indo parar na Freguesia de Nossa Senhora do Pilar, numa suntuosa casa de quatro andares, moradia de José Luís de Carvalho Albuquerque, onde, por dezenas de janelas e sacadas era possível admirar o mar azul da baía de Todos-os-Santos. Interessado na mucama do comerciante inglês, o fidalgo passou a frequentar as cercanias do sobrado dos Crabtree e, ao ver Luiza, encantou-se, passando a seguir seus passos e a cortejá-la sempre que ela saía à rua. A princípio, Luiza desdenhou o senhor de cabelo grisalho e fala mansa que a seguia por toda a parte, mas aos poucos foi-lhe prestando mais atenção, pois a impressionava a delicadeza com que ele tratava uma mera escrava. Ele a cortejava como se fosse uma senhorinha da casa-grande e não uma mucama igual a tantas outras que saracoteavam na Freguesia da Vitória. Levava-a a passear em sua carruagem, elogiava sua beleza e o porte, prometia-lhe a alforria e jurava que, se ela o quisesse, montaria casa e negócio para ela no Caminho do Gravatá.

Afeita à grosseria dos senhores, que a tratavam como se fosse um objeto sempre à disposição, Luiza encantou-se com a educação e a polidez do fidalgo, mas os galanteios em nada resultariam, não fosse a felicidade que parecia transbordar em Peter quando acompanhado de sua esposa, e a frieza com que passou a tratá-la, vendo nela apenas um instrumento para despertar seu desejo. Acostumado a tê-la quando sua vontade exigia, o herdeiro dos Crabtree não compreendeu que, embora escrava, Luiza era senhora do seu gostar e, ao perceber que ele a chamava à sua alcova apenas para excitar-se e logo depois a despachava para ir gabar-se de sua virilidade junto à esposa, algo em seu querer desatinou-se.

Ainda tinha por Peter uma enorme gratidão por tê-la tirado das mãos da senhora Cerqueira Lima e jamais esqueceria a delicadeza e a precisão com que ele colhera a gota de sangue que sempre precede o prazer das meninas púberes. Mas o amor, quando se torna gratidão, deixa de ser amor; assim, quando deu por si, estava nos braços de José Albuquerque, que, de bom grado, jogaria no lixo o lucro mensal de um dos seus comércios se isso fosse preciso para tê-la em sua cama no sobrado do Pilar.

Luiza contou a Peter cada detalhe da corte que lhe fez o fidalgo, lembrou-lhe a indiferença com que ele passou a tratá-la e a tristeza de tê-lo perdido, mesmo tendo-o à sua cama quando ele precisava do seu corpo para atiçar seu desejo tímido. Explicava-lhe como isso a fez aproximar-se do fidalgo e por que havia cedido às suas investidas, quando sentiu a mão pesada de Crabtree cair sobre o seu rosto, uma, duas, três vezes. Depois, descontrolado, ele começou a gritar, desesperado:

— Puta, puta desgraçada! Escrava descarada... Puta!

Luiza manteve o rosto elevado, encarando-o, e o fio de sangue que desceu sinuoso no canto do lábio carnudo deu-lhe uma dignidade silenciosa e forte. Ele acalmou-se:

— É assim que me paga todo o bem que lhe fiz?

— Sou sua escrava, mas meu desejo não tem senhor — respondeu, altiva.

— Se pensa que vou deixá-la ir com o Albuquerque, está redondamente enganada. Seu destino é a roça, o engenho do Recôncavo. É para lá que vou mandá-la.

Então, Luiza desvencilhou-se da raiva, não por compactuar com a explosão de violência em alguém não afeito a ela — embora nos homens, mesmo nos mais serenos, a frustração e a impotência fossem sempre uma ridícula justificativa para a bestialidade —, mas por ter consciência da sua condição de escrava e saber que sua única valência era a inteligência e a capacidade de fazer o outro entender. E ela usou-a para fazê-lo refluir.

— Peter, meu Senhor, nunca em todo esse tempo sua mão levantou-se contra mim e mais que ela, até a chibata você poderia empunhar tão à mercê do seu desejo sempre estive. Se não o fez, foi porque não lhe fica bem o papel de senhor cruel que está tentando representar...

— Se eu fosse um senhor cruel, seu destino seria o pelourinho. Tenho esse direito — interrompeu ele.

Apesar da ameaça, ela percebeu pelo tom de sua voz que a razão começava subjugar a violência, e continuou:

— Embora meu povo ou qualquer outro que baseie a vida em comum na justiça e na dignidade não admita esse direito espúrio, sei que a lei indigna que nos mantém cativos lhe permite agir assim. Mas de que valeria isso? Em que melhoraria sua vida, mandar-me para o Recôncavo? Sua esposa veria nesse expediente uma forma de enganá-la, enviando-me para o engenho que exige sua presença a todo momento. Ao contrário, se eu for vendida ao fidalgo do Pilar, ele me dará a alforria e montará casa para mim no Caminho do Gravatá, onde criarei seu filho. E você, além de satisfazer a senhora livrando-se de mim, e de receber a quantia expressiva que ele se dispõe a pagar, ainda poderá me ter livre e sem amarras em minha própria casa.

Peter Crabtree sempre admirou em Luiza sua capacidade de entender a realidade e de adaptá-la às suas necessidades e, embora seu orgulho estivesse algo arranhado, ela era apenas uma escrava e Deus sabe com quantos homens não havia se acostado nas noites em que os batuques dos negros anunciavam os festejos, além do que sua argumentação era impecável. Acalmou-se, então, intuindo o fim dos seus problemas, afinal atenderia a Dayse e não perderia o contato com Luiza que, liberta, não se negaria a recordar na sua cama os bons tempos passados juntos. E isso sem contar que a negrinha alta e esbelta, recém-chegada ao sobrado da Vitória, fruto de nova negociação com o armador Cerqueira Lima, parecia ter um perfume tão inebriante quanto a Princesa e também seria capaz de elevar sua autoestima.

Assim, Peter Crabtree submeteu-se aos desejos de Luiza que, alforriada, tornou-se livre para assumir sua realeza e tornar-se líder da revolta que libertaria os escravos da Bahia.

* * *

Quando o fidalgo Albuquerque tomou-se novamente de amor por uma negrinha de quinze anos, recém-chegada da Costa da Mina, a quitanda de Luiza Princesa no Caminho do Gravatá já era ponto de encontro na cidade da Bahia. Por ali passavam as mucamas e suas senhoras, os jovens estudantes e seus velhos professores, os escravos e seus senhores, os negros libertos e os brancos que mais pareciam escravos, os revolucionários e seus algozes. A uns Luiza atraía por sua beleza, a outros pela delícia de seus quitutes; alguns por ali vagueavam à luz do dia em busca do amor da Princesa; outros, no escuro da noite, cosiam-se às paredes para chegar a salvo na quitanda e tramar a revolta que tornaria negra a cidade da Bahia. A revolta que Ahuna desejava passou a ser tramada na quitanda de Luiza.

De manhã, por ali passavam as mucamas das senhoras em busca das frutas da estação e de lá saíam com o bocapiú cheio de pitangas, umbus, araçás e sapotis, fosse essa a vontade da natureza e o desejo de quem queria comprar. Ao meio-dia, a quitanda recebia os negros libertos, os escravos de ganho e os brancos assalariados que sentavam-se nas poucas mesas para saborear a moqueca de ovo com camarão seco, o escabeche de peixe com pirão e o feijão fradim com farinha de Nazaré.

Todos queriam provar a moqueca de vermelho, com leite de coco e muito dendê, ou a língua de vaca ao molho ferrugem; e nas sextas-feiras, quando era servido o arroz-de-haussá, a quitanda tornava-se ecumênica e reunia brancos e negros, ricos e pobres, cristãos e muçulmanos, ávidos para provar a iguaria. Trazido pelos negros haussás, o arroz branco refogado e misturado ao leite de coco era arrumado em volta da carne seca frita no dendê, coberta por um molho de camarão seco que se frigia em fogo brando com dendê e cebola. Era a comida preferida dos frequentadores da quitanda, e até o fidalgo José de Albuquerque, que deixou de frequentá-la, pois não lhe aprazia ver passeando pelos corredores aquele fedelho de traços assemelhados aos seus, retornava por vezes para provar a iguaria.

Mas era quando a noite ia alta e a quitanda fechava suas portas que o movimento aumentava e nessa hora, só os negros tinham acesso à ampla sala contígua ao balcão de venda. Ali se reuniam os líderes de uma revolta que o poder e o carisma de Luiza foram aos poucos construindo. Ali, na quitanda do Gravatá, Luiza Princesa tornou-se a liga que unia todas as crenças num único objetivo: libertar os negros na cidade da Bahia.

AHUNA

I

As tiras de couro retorcidas rasgavam as costas de Ahuna como uma estranha lâmina em que o fio de corte estava em toda parte. Amarrado ao tronco, à sua volta espremiam-se os demais escravos do engenho Santo Amaro que ali estavam, não porque desejassem presenciar a punição do seu líder, mas porque se não o fizessem também terminariam sentindo nas costas o estalar do chicote.

Ahuna recusava-se a gritar, e trancava os dentes para evitar que qualquer som saísse de sua boca, mas sentia a pele esgarçar-se e o sangue quente brotar como se minasse do próprio chicote. Por vezes, mirava em volta, e pela expressão do rosto dos escravos presentes ao suplício, dir-se-ia que cada chibatada atingia também o corpo de cada um deles.

A dor era lancinante, mas com os dentes travados, Ahuna a suportava cheio de orgulho e ódio. Ódio aos brancos que lhe quitaram o amor da Princesa; ódio ao capataz que manejava o chicote com gosto, mirando a cada momento a assistência como a lembrar-lhe que logo qualquer um deles poderia estar amarrado ao tronco; ódio à escravidão e a tudo que ela representava.

O castigo de Ahuna duraria o tempo suficiente para minar sua arrogância e disseminar entre os escravos do engenho o quanto seria cruel a punição para quem se propusesse a fugir, mas não tanto que colocasse em risco sua vida; afinal era preciso preservar um escravo daquela têmpera, o mais dedicado no trabalho do canavial e o único capaz de fazer todos os outros abandonar a preguiça que os senhores diziam ser inerente à raça.

Ahuna tinha enorme ascendência sobre os escravos do engenho Santo Amaro não para fazê-los abandonar a preguiça, usada como estratégia para enfrentar o trabalho desumano, mas para mobilizá-los, fazendo-os terminar o trabalho mais cedo. Assim poderiam se dedicar às orações e ao estudo, aprendendo à noite a ler nas tábuas árabes, pelas mãos do velho Sanin ou até mesmo das do venerando Licutan, nas suas visitas ao Recôncavo, as palavras escritas da direita para a esquerda, e que os tornariam capazes de lutar pela própria liberdade.

Quando o capataz desferiu sorrindo a centésima chibatada, Ahuna desfaleceu e às mulheres foi permitido que o desamarrassem do pelourinho e viessem colocar vinagre e pimenta nas feridas para que não infecionassem. O remédio, que muitas vezes salvava a vida do supliciado, era, no entanto, um desdobramento do suplício, pois, fosse o suco da pimenta macerada ou o vinagre, o toque do líquido nas costas laceradas provocava terrível sofrimento. O de Ahuna era mitigado, porém, por um beijo na face, concedido às escondidas por uma mucama corajosa que desafiava o capataz, pelas lágrimas das mulheres e pelo canto de esperança e ódio que elas solfejavam.

Líder dos escravos, ao tornar-se um negro fugido, Ahuna fizera jus a um castigo maior que o açoite, de modo a deixar indelével na memória de todos a tortura que os esperava caso seguissem caminho semelhante. Assim, mal pôde se levantar, suas mãos foram amarradas e em volta do pescoço lhe foi colocada uma gargalheira para distinguir sua rebeldia. Com o colar de ferro no pescoço, Ahuna foi amarrado novamente ao tronco no terreiro da senzala. Tantos eram, porém, os escravos que, abandonando o trabalho, iam vê-lo e se revezavam junto a ele, levando água para matar sua sede insaciável e uma palavra de conforto como contraponto ao ódio ou então um caldo de feijão para levantar suas forças, que o Senhor do Engenho mandou soltá-lo dois dias após ser acorrentado.

Foi no pelourinho, sonhando com a noite de núpcias que lhe fora quitada pelo brancos, desesperado com a imagem de Luiza prostituindo-se a soldo da lascívia da senhora Cerqueira Lima ou delirando, quando a febre o colocava de parnaíba na mão lutando contra os homens da polícia, que Ahuna começou a planejar a revolta.

Foi lá, com as costas latejando e queimando em febre que imaginou uma rebelião diferente de todas as outras, um levante que atrelaria os escravos de toda parte num único objetivo, unindo aqueles vindos do Recôncavo com outros arregimentados nas freguesias da Vitória, das Mercês, do Pilar e adjacências, para assim formar o exército de Alá que iria libertar os negros na cidade da Bahia.

II

Após o castigo, muito tempo se passou até que Ahuna voltasse à cidade da Bahia para ver a Princesa. A fuga tornara-o um escravo marcado, vigiado de perto pelo capataz e por todos os jagunços, ansiosos em mostrar serviço ao patrão. A função de articular as pendências entre o engenho de Santo Amaro e a Rua das Flores, onde vivia seu Senhor, lhe fora subtraída. Mas, se a mobilidade lhe havia sido quitada, não o fora a dos demais escravos por ele liderados e, assim, se antes ele singrava a baía de Todos-os-Santos para encontrar-se com os outros alufás, agora eram eles que, a pretextos vários, o visitavam no engenho Santo Amaro. E eram frequentes as visitas de Luís Sanin, de Dandará — liberto que podia viajar sem prestar contas a ninguém —, de Diogo e James, cuja liberdade de ir e vir era dada por seu senhor inglês, e até de Pacífico Licutan que, apesar dos maus-tratos do médico Varella, seu proprietário, conseguia vez por outra permissão para ver os parentes no Recôncavo. E foi nessas visitas que os alufás forjaram o plano da revolta que tomaria de assalto as ruas da capital da Bahia.

Preso ao engenho e à escravidão, Ahuna sabia de Luiza por meio desses contatos. Foi Diogo quem lhe disse que a Princesa tornara-se amante de Peter Cabtree e que, assim, escapara da sina de tornar-se puta de "ganho" da senhora Cerqueira Lima. Esse foi um dia triste para o guerreiro que havia jurado proteger a Princesa. Quando soube que o sangue que tornaria Luiza sua esposa fora colhido por outro, Ahuna desesperou-se e naquela noite nem o capataz, homem acostumado aos mistérios da natureza dos negros africanos, pôde compreender por que aquele escravo estava abraçado ao tronco a chicotear a si mesmo e com tal força que o sangue jorrava mais rápido do que quando ele o fazia. Como a autoflagelação persistisse por tempo demasiado, foi necessário usar da força para fazer com que ele parasse, e mais impressionado ficou o capataz ao ver aquele homem, cuja coragem ele aprendera a respeitar, ajoelhar-se, com as costas sangrando e os olhos cheios de lágrimas, e chorar de dor como se lhe houvessem tirado o maior dos tesouros.

Por muito tempo Ahuna mostrou-se acabrunhado, mas aos poucos percebeu que sua dor não podia voltar-se contra si mesmo e que a um escravo só restava rebelar-se. Se nele a obstinação e a coragem eram a base do caráter, em Luiza elas transformavam-se em inteligência e astúcia quando era necessário, por isso teve certeza de que ela, e não o amante inglês, era quem determinava seu destino, embora nos estreitos limites a que ele estava circunscrito. E quando Diogo lhe disse, entre risos, que o janota inglês não era capaz de satisfazer sua esposa branca, sem antes embebedar-se do cheiro de Luiza, ele quase gabou-se da sua quase esposa, mesmo sabendo que ela deleitava a outro. Ao saber que ela a cada dia interessava-se mais pelo Alcorão e pelas palavras do Profeta, Ahuna a imaginou sobranceira, ajoelhada e voltando-se para Meca e a via seguindo-o na luta que libertaria o povo negro da escravidão.

A resignação acompanhou o escravo por muito tempo, mas quando Diogo lhe disse que um fidalgo do Pilar estava a cortejar Luiza todos os dias na Freguesia da Vitória e que ela, submetida ao rancor da senhora Cabtree e à apatia do inglês sobrepujado aos caprichos da esposa, se ainda não cedera à corte, não tardaria em fazê-lo, ele desresignou-se e o desejo de ter sua princesa de volta tornou-se grande demais para que pudesse ser contido pelo chicote do capataz ou pelo ferro da escravidão.

Ahuna fugiu pela segunda vez do engenho Santo Amaro numa noite de lua, velejando num saveiro que de tão conforme com a paisagem parecia fazer parte do próprio mar. Entre os raios da lua ovalada e branca, viu novamente sua Luiza no céu da baía de Todos-os-Santos e teve a certeza de tê-la nos braços naquela noite para assim consumar o amor que também fora acorrentado pela escravidão.

O líder ia sozinho ao encontro do seu destino. Já não o acompanhavam os escravos que o seguiram quando veio casar-se com a Princesa e despertaram a atenção do batalhão de polícia posto ao seu encalço, tampouco ninguém o esperava no cais ou sabia que ele ali estava. Só Luiza sabia da sua vinda, ela e Diogo, encarregado de deixar aberta a porta da cabana nos fundos da mansão da Vitória para que ele e Luiza pudessem encontrar-se e consumar o casamento, unindo de uma vez por todas a força do guerreiro com a realeza da princesa.

E assim, quando Ahuna, cosendo-se às paredes do sobrado da Vitória, abriu a porta do barracão onde os negros veneravam o Profeta, Luiza já estava lá. Sem que ela o visse, tirou os sapatos e os colocou na rústica prateleira da entrada, ao lado da porta. Depois olhou para o salão vazio sem cadeiras ou bancos e comoveu-se com a fileira de tapetes de pele de carneiro, todos alinhados em direção a Meca. Eram grosseiros os tapetes enfileirados no chão de barro, mas eram suficientes à sua crença e, se lhe fosse dada tal liberdade, cinco vezes por dia, do nascer do sol ao nascer da lua, ele se curvaria em direção a Meca para honrar o Profeta. E escravo não fosse, um dia faria a Hajj e iria rezar na mesquita Al-Haram, dando sete voltas em torno da Caaba.

De costas para ele, Luiza parece orar, olha para a lua que ilumina o chão de tapetes e para o mar da baía. Ela não devia estar ali, mas a mesquita dos negros tem suas próprias regras e no negreiro sem mar — que é essa terra de escravos —, o Profeta não exige uma câmara a separar homens e mulheres, pois todos estão submetidos à dor imposta pelos infiéis.

Ao vê-lo, Luiza levanta-se sorrindo e a visão de sua Princesa, emoldurada por uma túnica de linho fino e branco, incapaz de esconder a firmeza dos peitos duros e grandes e que puxa seus olhos para o ventre apenas insinuado num desenho triangular de poucas linhas, é como a luz que ilumina o céu de Santo Amaro à noite na senzala e que lhe diz que não há escuridão que sempre dure.

— Meu guerreiro! — exclama Luiza, ao distingui-lo nas sombras.

Ahuna faz uma reverência e beija suas mãos. Luiza o abraça e ele intenta dizer o que sabe ser impronunciável naquele momento, mas ela evita que qualquer coisa seja dita e coloca o indicador entre os seus lábios afastando qualquer possibilidade de conversação. Depois, beija-o com um carinho insuspeito, e surpreende-se, pois pensava estar ali apenas para ajoelhar-se e, como num ritual, venerar o deus que a libertará e a todos do domínio da escravidão, mas a sensação de prazer com a qual seu corpo responde ao beijo do guerreiro demonstra algo mais do que o respeito; então ela abandona-se e já carece de razão ao sentir seu corpo estremecer quando ele a beija e sua mão colhe seu ventre por baixo do vestido e tomando-o inteiramente na palma aberta, massageia-o levemente preparando-o para o amor. Luiza aprecia as artes do sexo e já entregou-se inteiramente e, quando ele a possui no chão entre os tapetes preparados para a oração, nem por um momento passou por sua cabeça que o Profeta talvez visse heresia aonde há apenas desejo.

Seguiram silenciosos após o amor, deitados sobre os tapetes sagrados e pareciam orar, tão grande era a paz desenhada no rosto de ambos. Ahuna sabia que as palavras espantariam essa paz doce, mas era impossível não pronunciá-las, precisava delas tanto para perdoar a si mesmo, por não ter sido o primeiro a amá-la, como para usá-las como uma arma capaz de impedi-la de continuar amando a outro que não ele.

Luiza parece não querer falar, fazendo-se homem após o amor, mas Ahuna a faz levantar e diz, contrito:

— Perdoe-me, Princesa, se não fui capaz de fazê-la mulher antes; perdoe-me se deixei que um branco infiel pusesse as mãos em seu corpo e tirasse a gota de sangue que me pertencia. Mas saiba que eu lutei, lutei desesperadamente.

Ela responde de imediato, sem pensar no que diz:

— Esse sangue de nada valia, meu guerreiro, não é por meio dele que uma mulher se entrega a um homem. Você lutou como um rei no altar em que sua esposa lhe foi tomada, mas sua luta agora é muito maior, é a luta de todos os negros da Bahia, e vim aqui para dizer-lhe que nela me alistarei.

Naquele momento Ahuna não estava interessado na revolta, tampouco estava apenas feliz por ter amado sua esposa pela primeira vez. Um outro sentimento revolvia seu peito e transformava-se em ódio, no desejo de destruir a todos os que se interpunham entre ele e a Princesa.

— Luiza... Vim aqui para amá-la, para fazê-la minha esposa definitivamente, mesmo que o Profeta veja nisso uma heresia e o livro maldiga aquele que acredita poder casar-se com a mulher que já foi tomada por outro. Mas, para fazer santo o que se tornou herético, matarei aquele que a possuiu antes de mim, para assim tornar-me seu único Senhor.

Como um condão mágico, essas palavras fizeram desaparecer a lassidão da mulher saciada e trouxeram de volta a rainha negra, versada nas artes do Candomblé e do Islã:

— Ahuna, meu guerreiro, no mundo da escravidão as leis do Profeta terão de ser outras.

Aqui, submetidos ao chicote do capataz, não podemos voltar-nos para Meca cinco vezes ao dia, tampouco podemos dar-nos ao luxo de ser rígidos na nossa crença. Não posso lhe ser fiel, pois para meu desespero meu corpo pode ser vendido como um objeto e servir aos prazeres de quem o comprou e, por isso, nem sequer posso pensar em mim como sua esposa. Mas, além e acima disso, de que lhe vale minha fidelidade? Você, que tem muitas mulheres, sabe que a verdadeira fidelidade está em momentos como esse que agora tivemos, não na posse perene do meu corpo. E de que adianta matar o branco que me deflorou, se, na verdade, ele o fez porque assim eu o quis, para livrar-me da prostituição à qual a luxúria da senhora Cerqueira Lima me havia condenado? — Fez uma pausa e concluiu: — E, é preciso que eu lhe diga, Peter foi um bom homem, não carece matá-lo, e eu o usei mais do que ele a mim.

— Como toda mulher, apaixonou-se por aquele que lhe tirou a pureza — retrucou Ahuna, irritado.

— Peter é homem bom, mas já não terá meu corpo; e você, meu guerreiro, tampouco poderá me ter amarrada no laço da fidelidade. Você poderá me ter sempre e quando nos for permitido e isso deve nos bastar. Abandonemos essa ideia de casamento, ou vamos adiar isso para quando a terra for livre.

— Então não me quer como marido? — indagou Ahuna.

— Não é isso, meu bravo, é que não existe casamento na escravidão ou talvez o casamento seja uma espécie de escravidão. Como posso ser sua consorte, se meu corpo está submetido aos ditames do senhor de escravos? Não quero ser sua esposa, não posso ser regida por um mandamento que não existe para quem está submetido à escravidão e nem sei se o quereria mesmo se ela não existisse. Quero ser sua amante, amá-lo como fiz agora, com orgulho e veneração, quero dar-me por inteira ao guerreiro que irá libertar o povo negro da Bahia.

Ahuna retrucou, num misto de raiva e decepção:

— Em minha tribo, sob os ditames de Alá, minha mão já teria descido muitas vezes em seu rosto, como castigo por sua ingratidão, por sua ofensa ao renunciar a um casamento que não foi concretizado por mim e que o livro renegaria, embora, ainda assim, eu o tome para mim.

— Ahuna — redarguiu Luiza com paciência medida —, respeito o livro e sua crença e a tenho em mim, mas retiro dela os ditames que violentam a mulher. E a religião que dará sustentação à nossa luta e ao nosso amor só terá futuro se for capaz de unir a força do Islã com a liberdade dos orixás.

— Isso é impossível, a palavra do Profeta é única e imutável...

— Sim, mas não aqui onde nem sequer temos o direito de proferi-la — interrompeu Luiza, com ênfase. — Não, aqui temos de unir todas as crenças, ainda que entre elas o Islã tenha a precedência, num objetivo maior cujo fim é a libertação e a destruição de um mundo que tem como base a escravidão.

Ahuna calou-se por um momento e Luiza, destituindo-se da intuição feminina que a faria prosseguir sem dar-lhe o tempo indispensável para a reflexão, calou-se ao perceber que o general subjugava o homem.

— Licutan já havia me falado das suas ideias. Ele também crê que a religião nos desune e que, desunidos, sempre seremos escravos. Ele e Sanin a querem como o símbolo da nossa causa, como o elo da corrente que unirá os negros da Bahia. Não se iluda, porém, isso até poderá acontecer e eu serei o primeiro a lhe colocar o cetro e a coroa, se assim pudermos unir as tribos, mas, libertos da escravidão, a religião do Profeta terá de voltar à vereda que a conduz.

— Que seja! Essa é uma questão para o futuro, e ele não existe enquanto o passado dos negreiros nos aprisionar. A mim me foi dada a bênção de crer em todas as religiões, e se eu pudesse as uniria todas naquilo que elas têm de melhor. Mas esse é o tempo de depois, o tempo de agora é da união dos negros da Bahia para, sob sua liderança e minha influência, pôr abaixo a escravidão. Para isso, Ahuna, para reunir os negros e doutriná-los, preciso da alforria, preciso ser livre para mostrar a eles que a união é a mãe da vitória. Perceba que — e agora Luiza falava como um oficial explanando a estratégia da batalha — Sanin, Licutan e Dandará disseminam por toda parte os ensinamentos do Islã, ensinam o árabe e divulgam o Alcorão, mas a maioria do povo negro ainda permanece na fé dos orixás, quando muito misturam as duas crenças, mas os espíritos permanecem travados. Eu posso desarmar os espíritos e farei isso no Gravatá, num local em que, pelo dia, me permitirá saber dos planos e caminhos daqueles que nos oprimem e, pela noite, reunirá em grupos os negros da Bahia para doutriná-los, preparando-os para a revolta que virá.

— E quem lhe dará a alforria e esse local? O fidalgo branco com quem você vai se deitar ou já se deitou?

— Sim, ele me dará a alforria e vai me dar uma quitanda para que eu possa viver dela e com ela arregimentarei os negros da Bahia. E logo me desvencilharei desse fidalgo a quem eu uso mais do que ele a mim.

— Jamais permitirei que o povo negro da Bahia saiba que a esposa de Ahuna tornou-se a puta de um fidalgo qualquer, pois puta você o será já que não mais estará submetida à escravidão e deitará com ele não pela força, mas pelo dinheiro que sai do seu bolso.

Luiza respondeu, indignada:

— Ora, puta eu nunca serei, pois amo pelo desejo de amar, e até puta me tornaria se com isso libertasse meu povo da escravidão.

E de que adianta esse orgulho por uma esposa que você sempre soube, não poderia ser sua, assim como não são suas as esposas que ficaram na África e mesmo aquela que, prisioneira, também aqui aportou jogada em terra por outro negreiro imundo? Será que você não percebe que não há esposas na escravidão e isso, de certa forma, é uma libertação? Mas sou capaz de compreender seu temor e esse desejo infantil de apossar-se do corpo da mulher que acompanha os homens desde sempre. Infelizmente nada posso fazer com relação a isso.

Ahuna refluiu ante a força da palavra de Luiza, mas ainda tentou argumentar.

— Será que você não compreende? Não há desonra em ver sua mulher tomada por outro, se isso é feito sob o chicote da escravidão e o castigo do tronco. O que não tem remédio, remediado está, e isso vale para todos os escravos. Mas obter a alforria com seu corpo e, liberta, tornar-se amante de um branco seria uma desonra.

A essa altura, Luiza já era toda razão e nenhuma emoção a faria distanciar-se do objetivo a que havia se proposto.

— Está bem, meu guerreiro, aceito o que me diz, pois não desejo que o líder da revolta que colocará os negros no poder tenha sua honra arranhada, ainda que não entenda por que a honra de um homem esteja aprisionada no corpo de uma mulher. Assim, lhe proponho um pacto: não serei mais sua esposa, serei apenas sua amante. Licutan dirá ao povo negro que jamais fui sua esposa e que a cerimônia por ele celebrada foi um arremedo para enganar os brancos e jamais teve valor aos olhos do Profeta. Todos saberão que você tem meu corpo, sem que para isso eu seja obrigada a honrá-lo com a fidelidade.

Por um momento Ahuna pensou que a idade ou a escravidão haviam amofinado seu espírito e que, fosse ainda o guerreiro altivo de antes, imporia sua vontade com as mãos. Mas, farto de saber que a imposição pela força, mesmo que predomine, não prepondera, assimilou as ideias de Luiza. Ao fim da longa conversa, ao despedir-se dela, Ahuna sentiu pela primeira vez uma espécie de amor no beijo que ela lhe deu e que selou o destino de ambos.

Nessa noite, Ahuna perdeu a esposa, mas ganhou uma amante verdadeira, pois o laço que se formou entre os dois foi construído sob a base da lealdade sem posse.

Os negros da Bahia sabiam agora que Luiza não era, nem jamais fora, a esposa do guerreiro, mas apenas a amante sempre disposta a enaltecê-lo, a princesa que o reverenciava e estava sempre pronta a dar-lhe seu corpo e que, embora liberta, estava atada a ele pelo amor e pela dor sofrida no negreiro maldito.

Desde então, Ahuna passou a se encontrar com Luiza sempre que o seu senhor exigia sua presença na casa da Rua das Flores e ele vinha do Recôncavo para a cidade da Bahia. Então, na quitanda do Gravatá, as noites, que antes eram de preparação para a guerra, tornavam-se noites de amor e os negros malês já não se reuniam, deixando que o guerreiro pudesse amar a Princesa em paz. Mas essa ausência não durava muito, e qualquer um, como a negra Sabina, sempre de olho nos passos da Princesa, veria que a solidão de amantes era momentânea, pois de repente mais movimento ainda se via na quitanda do Gravatá.

Para Ahuna, Luiza estava sempre pronta, mas, mal acabava o amor, ela buscava o guerreiro e com ele fazia planos, propunha estratégias, aliciava os negros e organizava a revolta que daria fim à escravidão. Já então Ahuna havia percebido que Luiza jamais fora ou seria sua esposa, ela havia desposado a causa da libertação dos negros da cidade da Bahia.

A UNIÃO DOS DEUSES

I

Com a água, Dandará lavou as palavras escritas na tábua, recolhendo-a, para então beber com satisfação. Depois a ofereceu a Luiza que, sem atinar na razão daquele gesto, retrucou altiva:

— Vim aqui para aprender a língua e os costumes do seu povo, não para beber água suja de tinta.

Levou tempo para Luiza, ainda muito jovem, admitir que havia divindade na água que lavava aquela prancheta de madeira retangular assemelhada a uma tábua de carne e por ele chamada de *wàlàà*. Os malês diziam que após lavar as palavras copiadas do Alcorão a água tornava-se sagrada, pois passava a conter a palavra de Alá, e quando escritas por um alufá, tornavam-se ainda mais poderosas e adquiriam virtudes protetoras.

Com o tempo, Luiza passou a beber a água azul que limpava as orações escritas por Dandará da esquerda para a direita na *wàlàà* após repeti-las dezenas de vezes, não tanto por acreditar no que diziam, pois ao seu espírito mais bem faziam as preces do candomblé da Rua do Godinho, mas porque desejava aprender a língua daqueles negros orgulhosos para poder ler o livro que tinha o poder de uni-los em torno de preceitos estranhos a ela e de fazê-los rezar cinco vezes por dia, quando podiam.

Lembrava-se da noite em que dormiu na cabana de Diogo e o fez urrar de prazer com carinhos simples, comuns entre os escravos nas senzalas, mas para ele tão desconhecido quanto os deuses que ela trouxe da África. Nessa noite, Diogo surpreendeu-se quando ela o chamou para a cama, atendendo apenas ao desejo do seu corpo, e pôs-se a ensiná-lo como se fazia o amor. Diogo aprendeu rápido e ela arrepiou-se ao sentir sua boca, úmida como o mar da baía e, como ele, dotado de uma maresia estranha e encantadora. E estremeceu de prazer quando ele chupou sua buceta exatamente como ela havia ensinado, passando a língua muitas vezes no ponto do prazer para, só depois de fazê-la gozar, possuí-la como se possui um tesouro.

E quando, após o amor, ela despertou e seu corpo de mulher jovem deu-se conta que queria amá-lo novamente, surpreendeu-o desperto, mesmo após ser inteiramente dominado por aquele prazer desconhecido, lavando o rosto, as mãos e os pés, para depois ajoelhar-se sobre uma pele de carneiro e, após dizer várias vezes a palavra *Bisimilai*, rezar contrito, curvando-se e prostrando a cabeça em sinal de reverência e repetindo o movimento várias vezes sempre voltado para um lado determinado.

Diogo tornara-se seu amante, e tão religioso era, que todas as vezes, após o amor, vestia um camisolão branco, punha um barrete alvo na cabeça e começava a rezar com um enorme terço na mão. Não era um terço, dizia-lhe, era um *tècèba*, um rosário de meio metro de comprimento, com noventa e nove contas de madeira de tamanho grande que convergiam, não para a cruz como no rosário cristão, mas para uma bola de madeira maior que as demais.

Luiza queria aprender os ditames daquela religião, queria ler na língua em que fora escrito o Alcorão e que, ensinara-lhe Dandará, significava recitação, pois tratava-se da revelação divina ditada ao profeta Maomé ao longo de vinte e três anos.

Luiza não entendia bem por que os homens, fossem eles brancos e cristãos ou negros e muçulmanos, precisavam de um livro para dar suporte às suas crenças. Já seu povo não carecia desse instrumento. Para eles, a revelação divina estava na natureza, no vento que Iansã soprava, no sal do mar de Iemanjá ou na água que corria nos rios de Oxum. Esse era o altar onde devia persignar-se ou então, se era para render graças e orar pelos deuses, dançar no terreiro sob o clarão da lua que fazia aparecer Oxum parecia-lhe mais sagrado do que ajoelhar-se sobre uma pele de carneiro e voltar-se para uma cidade distante que ela nunca veria.

Mas Luiza gostava dos ritos e não importava muito o deus a quem eles celebravam, o que lhe encantava era a música, a dança e o som cadenciado das orações. Certa vez, ao vê-la chorar na missa da Igreja do Rosário dos Pretos, o fidalgo Albuquerque dissera que ela era ecumênica e, quando mais tarde veio a descobrir o significado dessa palavra tão bela, percebeu que de fato sentia-se assim, e, embora seu ecumenismo a fizesse acreditar em todos os deuses, dava-se também o direito de, por vezes, duvidar de todos eles.

Foi com Dandará que Luiza conheceu a crença e a liturgia da religião dos malês. Com ele aprendeu a ler e escrever o árabe, e soube-se poliglota quando o jovem promotor Ferraz a viu conversando fluentemente em árabe com um malê que comia na quitanda e logo depois a viu gritar em iorubá, sem saber o significado de suas palavras, que a moqueca tinha dendê demais. O promotor não conhecia o que para ele eram dialetos bárbaros, mas o tema serviu de pretexto para uma conversa ao pé do balcão. Ele tocou com sua mão a pele negra do braço da princesa e lhe disse que, se além do português, ela dominava a língua de outros dois povos, ela era então poliglota.

O aprendizado da língua alheia nunca fora empecilho para Luiza inteirar-se do que passava à sua volta e, ainda menina, na sua amada África, conheceu os dialetos das tribos amigas para assim travar conhecimento. Escrava, também se inteirou das palavras estranhas daquele povo branco para conhecer os homens e seus deuses e, se na mansão do comendador Cerqueira foi catequizada e aprendeu a ler e escrever o português, na mesquita da Vitória teve do alufá Dandará e de Nicobé Sule as lições que lhe ensinariam a língua, as tradições e a crença do povo árabe e aprendeu aquela escrita invertida posta na *wàlàà*.

Deu-se assim que por meio desses estudos Luiza enredou-se pelos mistérios das três religiões que, de uma forma ou de outra, dominavam o povo negro da Bahia e se conheceu a fundo os preceitos do Alcorão, também varou a noite lendo a Bíblia dos senhores de escravos. Ciosa do que cada livro sagrado pregava, comparou-os com os ditames da religião animista de sua terra para concluir *que a fé, se desprovida de ódio, fazia bem, não importando a efígie que venerava.*

Passou então a adotar todas as religiões sem filiar-se a nenhuma delas. E, se enfurecia os mestres malês ao afirmar que o branco do abadá dos muçurumins era o mesmo da túnica de Oxalá, e que este poderia ser o outro nome de Alá, indignava os cristãos ao lembrar que Oxalá também estava na imagem do Cristo que eles louvavam na igreja da colina do Bonfim.

A princípio, os mestres malês tentaram repreendê-la afirmando que os cristãos obrigavam os homens a "adorar pau" em seus templos, referindo-se aos santos esculpidos na madeira, e que os deuses fetichistas jamais sujariam as páginas do Alcorão. Não foram poucos os que a tachavam de cadela infiel ao ouvi-la identificar Alá com os deuses pagãos da sua religião. Mas o carisma de Luiza terminava por encantar a todos que, mesmo não arredando o pé em relação às suas convicções, ouviam extasiados aquela negra esplendorosa e cativante falando com emoção e dominando o conhecimento. À noite, no pátio amplo da quitanda, onde de dia ficavam as mesas dos quitutes, os escravos de todas as etnias e religiões reuniam-se para ouvir a princesa iorubá dizer que os deuses em que eles acreditavam deveriam unir-se, pelo menos por um momento, em prol da libertação dos escravos. Que a religião deveria uni-los e não separá-los e acreditavam nela não apenas por ser princesa e ter sobre eles a precedência, mas porque seu carisma reinava entre os negros da cidade da Bahia.

As palavras de Luiza tocavam o coração dos negros, pois, diferente dos líderes malês, dos chefes das tribos que engalfinhavam-se entre si e dos pais de santo, ela não pregava o predomínio desta ou daquela crença:

— As guerras entre os povos irmãos da África foram uma imposição daqueles que desejavam uma fé única — dizia, com autoridade.
— Foi a presunção de que haveria uma única religião, repositória dos ensinamentos de Deus, que gerou as guerras e resultou na escravidão do povo africano. Pertencer a uma única fé era a justificativa que os vitoriosos na guerra usavam para explicar a escravidão

dos não pertencentes. E na cidade da Bahia isso precisa acabar, se queremos unir os negros de todas as tribos.

Luiza sabia que as guerras de religião entre cristãos e muçulmanos foram transplantadas para a África e, ali, a crença em Obatalá e suas derivações tornou-se um novo contendor e dessas contendas saíram os prisioneiros que, como ela, foram vendidos como escravos. O ódio gerado por essas guerras foi transportado para a Bahia e, por isso, ainda que escravizados e submetidos, os negros continuavam brigando entre si.

— Os brancos — reiterava, com convicção — são inteligentes e estimulam o ódio, baseados na crença, pois ele nos divide. Os padres querem impor-nos a sua fé cristã, querem que acreditemos na sua caridade e benevolência, mas desde que permaneçamos escravos. E essa religião nos desune, pela tentativa de afirmação de uma única crença e a imposição dela. Os negros da Bahia só serão livres, quando cada um, acreditando no seu Deus, unir-se ao outro contra a tirania da escravidão.

* * *

Quando, na sua quitanda, ela fazia esse tipo de discurso impressionava a todos. Os mestres malês, que dominavam a escrita e eram versados na teologia, não podiam compreender como uma negra iorubá poderia ter tal percepção e a correta perspicácia do que se passava entre os que desejavam mantê-los sob os grilhões da escravidão.

— Sou uma negra ecumênica — explicava Luiza, do alto do seu carisma. — Gosto de adorar os deuses. Muitos deuses alimentam a liberdade, um deus solitário estimula a tirania.

Os mestres malês não podiam aceitar tais heresias, e muitas vezes Aprígio a havia amaldiçoado e desejado desferir na infiel o golpe forte de sua mão pesada. Luís Sanin também questionava os ensinamentos que Dandará havia ministrado à sua pupila e a incapacidade de conter sua heresia. Já o alufá Nicobé Sule procurava mostrar a Luiza que a verdade estava apenas nas palavras do Profeta e, quando delas se distanciava, transformava-se em heresia. Mas o limano Licutan usava sua ascendência sobre os alufás, para mostra-lhes que a Princesa, embora por caminhos tortuosos, poderia ser mais um elo a fortalecer a corrente do Islã. Para Licutan, a liberdade era o passo inicial a ser dado pelos negros naquela terra, antes mesmo da conversão. Luiza, com seu discurso em prol da união de todos, poderia ser a liga a unir os elos da corrente que enlaçaria os negros ao seu desiderato. Livres, Alá imporia sua força e não seria difícil trazer a Princesa e os negros que a amavam para o seio do Islã.

Assim pensava o limano Licutan, mas não seria tão fácil convertê-la, pois, quisessem ou não os mestres malês, Luiza tinha arraigado o sentimento de liberdade inerente aos que creem em todos os deuses ou aos que não creem em nenhum deles. Ela pregava uma espécie de sincretismo universal e, sempre que era admoestada por suas crenças, retrucava, destacando aquilo que os muçurumins jamais se acostumaram em ouvir:

— Meus negros queridos — dizia, encantando a todos com o doce da sua voz e a beleza do seu trejeito. — Não podemos repetir aqui as divisões que motivaram as guerras em nossa terra. Os que aqui aportaram devem envolver-se com um novo credo capaz de aceitar o que os demais têm de verdadeiro. Nas terras da Bahia, Olorum aliou-se a Alá. As abluções diárias dos malês podem ser feitas com as águas que homenageiam Oxalá. E não nos esqueçamos que Nanã, a deusa que emerge do lodo dos rios, é mãe dos filhos de Alá e foi em nome dela e por sua orientação que eles aceitaram passar fome por trinta dias originando o jejum.

E, diante de uma assistência que trazia atavicamente o amálgama das três religiões, Luiza exprimia com força a ideia de unir todas elas:

— Na Bahia os Orixás uniram-se com os deuses cristãos e vão unir-se também ao Islã para assim libertar os negros da escravidão.

Com esse discurso, Luiza Princesa, que se fazia de analfabeta, sendo letrada, que se fazia de malê sendo pagã, e de cristã sendo mãe de santo, incutia na cabeça dos negros a ideia da união de todas as crenças e de todas as etnias em prol da libertação.

E assim, pregando a união, Luiza tornou-se a sacerdotisa de todas as religiões e fez-se muçulmana acreditando em todos os deuses. Mas sua pregação unia a todos apenas enquanto estavam na sua quitanda no Gravatá. Entretanto, bastava que dali saíssem para que os missionários negros continuassem a arregimentar mais escravos para a cristandade, que os malês permanecessem praticando seus rituais de maneira ortodoxa e aliciando os negros para tornarem-se muçulmanos e os pais de santo elevassem nos terreiros os sons dos batuques louvando os deuses que sempre louvaram.

Aos poucos, porém, os mestres malês foram percebendo que Luiza lhes seria útil e que a extravagância de suas ideias não seria capaz de impedir a conversão dos infiéis ao Islã quando a terra fosse libertada. Pelo contrário, poderia ser o estopim que faria começar a guerra que converteria a todos. Já os missionários negros e os pais de santo foram percebendo, cada um movido pelos seus interesses, que não havia mal em juntar homens de religiões diferentes em prol de um objetivo comum, ainda mais quando esse desígnio era o fim da escravidão.

Então, constrangidos pelo carisma da Princesa, por sua influência entre os negros de diversas nações e pelos benefícios que sua condição de negra liberta trazia, os mestres malês acataram com amistoso desdém as suas perorações heréticas. Mas havia algo mais forte que, na verdade, explicava a condescendência dos alufás: é que Ahuna, o maior entre todos os guerreiros, o líder incontestável de qualquer revolta que houvesse na Província da Bahia, amava a Princesa e com ela havia feito um pacto de união, um laço mais forte que o casamento, pois baseado num contrato sem regras nem proibições. Se o grande ódio que ele devotava aos senhores de escravos e a todo tipo de capatazia nascera no negreiro que o trouxera da África, o resquício de amor que porventura ainda existia em seu coração de guerreiro convertido a Alá fora gestado pelo canto da Princesa no mesmo tumbeiro aterrador. Sem esse canto, a força do líder dos escravos se esvairia.

Além disso, e como se não bastasse, Luiza era a rainha dos negros da cidade da Bahia e mais prestígio tinha entre eles do que os malês e do que o próprio Ahuna, pois seu ecumenismo religioso era o antídoto contra as etnias que afirmavam-se em sua fé, exprimindo a aversão pela fé das demais. Luiza desviava-se da cizânia que dividia os negros e os unia na única bandeira capaz de tremular em cada altar de toda e qualquer religião negra: o fim da escravidão.

A Princesa tornou-se assim a liga capaz de unir os negros da Bahia, fazendo-os lutar pela liberdade.

II

A estratégia de Luiza se impôs entre os mestres que se reuniam na quitanda do Gravatá. Nessas reuniões Luiza, Ahuna, Licutan, Sanin e os demais mestres malês planejaram e puseram em prática um plano de longo prazo, cujo objetivo seria tomar o poder da mão dos senhores, libertar os escravos e criar um reino negro na cidade da Bahia.

Cada um dos mestres ali presentes havia guerreado em sua terra e sabia que a religião, se tinha o poder de uni-los, também o tinha de semear a guerra entre eles, por isso, sem jamais esquecer que Alá era quem comandava o destino dos homens, aceitaram pôr de lado, pelo menos por um momento, os ditames ortodoxos da religião pela qual dariam a vida em busca da liberdade. E Licutan explicitava isso com pragmatismo:

— Toda guerra tem um objetivo e um credo. O objetivo da guerra santa dos negros da Bahia é o fim da escravidão, e a crença que os guiará é a crença em Alá e nas palavras do Profeta. Mas, como me fez ver Luiza, nossa amada Princesa, esse credo não pode, pelo menos por enquanto, ser rígido, nem único, nem exclusivo, pois isso nos desuniria e poria em guerra negros contra negros.

Então, Licutan dizia como seria a revolta dos negros da Bahia, e como estaria baseada em três movimentos interdependentes. O primeiro seria a conscientização dos escravos e a união de todas as etnias em torno de um objetivo maior. Os malês, que já possuíam um conjunto de lojas e de mestres especializados na arregimentação dos fiéis, ampliariam essa ação estendendo-as aos principais sítios da cidade da Bahia. E, embora continuassem a ensinar os preceitos do Islã em busca da conversão dos fiéis a Alá, ampliariam essa catequese convocando os homens para uma guerra santa contra a escravidão e essa convocação seria para todos os negros, mesmo aqueles que ainda não comungavam com o Alcorão.

Por seu lado, Licutan tentava expressar aquela ideia, fundada na razão, mas avessa ao seu sentimento, e, talvez por isso, suas palavras saíam incoerentes.

— As religiões trazem ao mundo as instruções do Deus que rege cada um, e não será necessário por enquanto que cada um abandone o seu Deus para formar o exército da libertação. Ele abarcará todas as crenças, e, sob a proteção de Alá, porá fim na escravidão. Depois, quando os grilhões forem quebrados, reuniremos todos, e a voz do Profeta nos mostrará o caminho.

Então Luiza tomava a palavra e dizia que, aliados à pregação dos malês, estariam também os mestres do candomblé, transmitindo aos negros a vontade dos Orixás de unirem-se a Alá para pôr fim à escravidão. E também se uniriam a Alá os negros convertidos ao catolicismo, que veneravam Jesus, mas repudiavam o cativeiro.

E Ahuna finalizava, indicando qual seria a liga capaz de unir todas as religiões num só objetivo:

— Luiza Princesa será o traço de união entre as palavras de cada credo e deverá estar em cada mesquita, em cada terreiro, em cada igreja pregando na língua de quem a ouve, ela que sabe todas as línguas, que esse é o tempo de unir para libertar.

Licutan mostrava então que o primeiro movimento seria a organização dos escravos, preparando-os para o confronto final. Sozinhos, eles seriam incapazes de lutar contra as armas dos brancos. Por isso, seria necessário um segundo movimento capaz de viabilizar o financiamento da revolta e de arregimentar os escravos do Recôncavo, unindo-os num só exército para que marchassem, por terra ou por mar, em direção à cidade da Bahia, onde, juntando os negros de cada loja, formariam um grande exército sob o comando de Ahuna, capaz de enfrentar a reação dos brancos.

— Para isso — continuava Licutan, como se falasse para os oficiais de um exército — será necessário estabelecer um elo entre a cidade e os engenhos do Recôncavo, de modo a que cada guerreiro, cada líder negro, tenha conhecimento dos planos e dos movimentos da revolta e assim dissemine nas senzalas que o dia da libertação se aproxima. É preciso que façamos essa articulação entre a cidade e o interior, montando a logística que permitirá aos escravos chegar à capital, de preferência singrando a baía de Todos-os-Santos a bordo de saveiros que possam desembarcá-los em armas nas fuças dos senhores da escravidão.

* * *

Então, Licutan convocou Dandará, Manuel Calafate e Vitório Sule, negros libertos que podiam locomover-se sem restrições, e deu a eles o papel de capitães da revolta, responsáveis, sempre sob o comando do Maioral, de articular as ações na capital e nos engenhos.

Por fim, mostrou como se daria o terceiro movimento, aquele que teria como elemento principal a surpresa e poria em pânico os capatazes e o exército dos brancos, ao ver mil negros armados nas ruas da cidade da Bahia exigindo, com o beneplácito e a proteção de Alá, a liberdade que lhes era devida. Esse último movimento se daria na noite da revolta, a Noite do Destino, e para isso os negros precisavam estar organizados para que surgissem armados — de punhal, parnaíba, lança ou o que fosse — de cada beco e de cada viela para formar o exército que, sob o manto da Princesa e o comando do Maioral, destruiria os pelourinhos e os troncos e implantaria um reino de paz.

Licutan acreditava firmemente no que dizia, e seu discurso trazia tal fervor que nos olhos de cada negro da assistência era possível ver a crença de que eles seriam fortes o suficiente para derrubar a escravidão. Via-se em cada rosto negro o respeito e a veneração que tinham pelo limano Licutan, chamado por muitos de Bilāl, como era conhecido na sua terra natal. Mas nem todos tinham tal deferência, e muitos não admitiam que a conversão a Alá fosse colocada em segundo plano. Entre os malês, muitos viam heresia na ideia de que os homens do Profeta pudessem lutar lado a lado com pagãos e infiéis. Aprígio liderava esse grupo, e numa das reuniões na casa de Calafate tentou colocar Licutan contra a parede ou, pelo menos, tirar dele a autorização para que, vencida a batalha contra os brancos, os infiéis pudessem ter o pescoço passado no fio da espada, inquirindo-o com ênfase:

— Estou sempre a concordar com meu mestre Bilāl, mas por vezes fico a matutar e tenho uma dúvida. É certo, como diz o mestre, que não podemos obrigar os negros a venerar Alá de imediato, pois primeiro temos de tomar o poder dos brancos. Mas, diga-me, mestre, e após tomarmos a cidade, quando a terra for definitivamente nossa, aí teremos o direito de exigir que cada homem se ajoelhe aos pés do Profeta e, com a parnaíba, cortar o pescoço daqueles que preferirem permanecer heréticos?

Licutan retrucou, incisivo.

— Escorre sangue de sua boca, Aprígio, mas não é esse o nosso intento. Nosso objetivo é o fim da escravidão e, sob a proteção de Alá, será possível até que cada malê livre ponha-se no dia seguinte à libertação a ensinar a ler e escrever a língua do Profeta para assim trazer o Alcorão para perto daquele que permanece infiel, mas isso será feito na paz, não na guerra. Não repetiremos aqui o erro dos nossos antepassados. Não queremos que nossas guerras internas nos fragilizem e que, por ela, sejamos novamente vendidos como escravos. O reino que virá da revolução dos negros da Bahia será um reino de paz.

Por toda parte surgiam comentários favoráveis a Bilāl, e cada um dos presentes parecia dizer que essa não era hora de colocar a crença de cada um como empecilho para o objetivo maior. Aprígio percebeu que aquele não era um bom momento para impor à força a palavra de Alá, mas queria ter a certeza de que ela se imporia mais cedo ou mais tarde. Seu ódio pedia sangue, não importava de onde viesse, e ele replicou, sarcástico:

— E pode um reino de paz nascer sem guerra, poderoso Bilāl?

A indagação provocou alvoroço e Licutan precisou de autoridade para calar os que ali estavam.

— A paz virá depois, quando já não houver escravos — respondeu.

— Sim, mestre, mas quero dizer — retomou Aprígio, cheio de ódio — que teremos de matar todos os brancos, e os mulatos que os apoiam, e os crioulos e muitos negros libertos que possuem escravos como se fossem brancos.

Belchior interveio, compactuando com as ideias de Aprígio.

— Aprígio tem razão, meu mestre, no primeiro momento será necessário matar a todos, pois que, senão, eles se reunirão e se voltarão contra nós.

Vendo que o ódio começava a vencer a estratégia, Luiza levantou-se e o silêncio se fez, à espera da sua peroração:

— Se algum ódio há que haver, ele deve ser dirigido aos brancos que empunharão suas espingardas para defender a escravidão. Entre nós, negros, não é hora de ódio, pois cada mulato, cada crioulo tem um pouco de nós. Por isso, esse será um folguedo de matar brancos e, ainda assim, apenas aqueles que são o esteio da escravidão.

— Entendo, minha linda, você quer proteger o bastardo esbranquiçado e de olhos verdes que brinca na sua quitanda — retrucou Aprígio cheio de sarcasmo, referindo ao filho de Luiza com o fidalgo do Pilar.

Ahuna levantou-se pronto para revidar com a mão a ofensa dita com a boca, mas Luiza fez um gesto contendo-o e, com olhos que mais pareciam adagas, encarou Aprígio e disse pausadamente.

— Sim, desejo protegê-lo e a todos os negros e filhos de negros que foram tirados de sua terra e aqui aportaram e aqui tinham de amar e fazer sexo. E pouco importa se o fizeram com brancos ou negros. Nossa revolução não tem o objetivo de criar uma nova escravidão, não queremos pôr brancos ou mulatos no lugar em que os negros hoje ocupam. Não queremos uma nova escravidão, queremos uma cidade livre, e se há que matar brancos, e muitos precisarão ser mortos, assim o faremos, mas não seremos assassinos, não vamos invadir as casas onde vivem as mulheres e crianças. Vamos atacar os quartéis, os palacetes e os fortes. Assim será a revolução dos negros na Bahia.

O aplauso em uníssono foi como um voto de confiança na Princesa e nada mais poderia ser dito. Por isso, Aprígio se retraiu, e naquele instante Ahuna, Sanin e Licutan perceberam que Luiza Princesa era verdadeiramente quem comandava o exército negro de libertação.

III

O liberto Dandará morava no Caminho do Gravatá, próximo à quitanda de Luiza, de quem fora mestre na Freguesia da Vitória e de quem agora era súdito. Haussá de origem, ainda agora, passados mais de quarenta anos, lembrava saudoso da cidade africana onde nasceu e de onde provinha o nome de que tanto se orgulhava.

Escravo na terra dos brancos, impuseram-lhe um nome católico com o qual teve enorme dificuldade em conviver. Mestre muçulmano, difundia em sua terra os preceitos do Alcorão e jamais poderia imaginar que um dia seria conhecido pela alcunha de Elesbão do Carmo, o santo católico que fora o rei negro do império de Axum, descendente de Salomão e da rainha de Sabá, e que expandiu o seu reino cristão até a Península Arábica obrigando árabes e judeus a submeterem-se à fé cristã.

Ser batizado com tal nome pareceu-lhe uma ironia, e viu nesse desígnio a intransigência do senhor, desejoso em submeter aos ditames da cristandade um negro que falava árabe e se ajoelhava em direção a Meca. A ignorância dos senhores de escravos não dava espaço para a ironia, e logo compreendeu que eles apenas seguiam as recomendações dos padres no sentido de colocar nomes de santos negros nos escravos para assim estabelecer uma conexão com a fé cristã. Em Dandará essa conexão nunca se estabeleceu, mas certa feita, ao ver uma hagiografia do santo, identificou uma improvável semelhança, viu nele um guerreiro catequizador e assumiu, desde então, que seria um Elesbão ao revés e lutaria com a mesma fé para transformar os infiéis em seguidores de Alá.

A inteligência de Dandará lhe permitiu amealhar no ganho dinheiro suficiente para comprar sua alforria e, liberto, passou a comerciar fumo do Recôncavo e prosperou até conseguir comprar uma loja no mercado de Santa Bárbara, na Freguesia da Conceição da Praia. Livre e bem aquinhoado, intensificou sua pregação e comprou um casebre no beco dos Tanoeiros, onde reunia os negros para ensiná-los a ler e escrever o árabe e fazer as orações ao Profeta.

Vivia com a escrava Emerenciana, cujo senhor não quis alforriá-la, pois, percebendo que Dandará tinha posses, preferiu vender uma espécie de licença, sempre renovada, permitindo-lhe morar com ele no Caminho Novo do Gravatá, perto de Manuel Calafate e não longe da quitanda de Luiza.

Durante toda a sua vida Dandará lutou pela libertação, e muitos diziam ter sido ele um dos líderes da rebelião que resultou no incêndio de casas e senzalas na Armação de Manoel Inácio, e no assassinato de brancos no povoado de Itapoan, no tempo do Conde dos Arcos. Dandará negava qualquer participação, mas, misterioso, dizia não ser dono do seu corpo que estava a serviço de Alá.

Quando Luiza foi morar no Gravatá, Emerenciana tornou-se uma amiga querida que por momentos lhe dava conselhos como se uma mãe fosse, e a amizade com Dandará fortaleceu-se. Os dois estavam a todo momento com Luiza na quitanda do Gravatá e, se Dandará a colocava a par das tratativas para levar a revolta ao Recôncavo e para organizar os negros, Emerenciana contava-lhe o que se passava nas redondezas. Foi ela quem lhe disse pela primeira vez que o jovem e poderoso promotor público não tirava os olhos de sua bunda enquanto ela lavava a calçada da quitanda e que Sabina, sua vizinha, morria de ciúmes dela não apenas por causa de Vitório Sule, seu marido, mas, principalmente, porque ela lhe havia tomado o trono da beleza e a primazia no olhar dos homens.

Luiza gostava de conversar com Emerenciana e ria daquilo que ela chamava de mexericos, mas seus olhos brilhavam e sua mente se acendia era quando ela tratava com Dandará e Manuel Calafate sobre os planos da revolta e sobre a necessidade de arregimentar os escravos do Recôncavo para que viessem à capital no momento do confronto.

Dandará era comerciante de fumo e ia com frequência ao Recôncavo para repor os estoques de sua loja no Mercado de Santa

Bárbara, e foi ele o artífice do plano que congregou os escravos e transformou os engenhos de Santo Amaro, de Cachoeira e outros em clubes revolucionários.

Escolhidos por Licutan para levar a revolta ao Recôncavo, Dandará e Manuel Calafate começaram enviando um emissário a cada engenho, papel que foi cumprido à risca por Conrado, Belchior, Inácio e, às vezes por Aprígio, embora este concentrasse suas ações nos arredores da cidade, com o objetivo de reunir os escravos guerreiros de cada um deles em comunidades que gradualmente se prepariam para o dia de luta na capital.

Tanto Dandará quanto Manuel Calafate visitavam esses clubes pelo menos uma vez por mês para preparar os planos da revolta e levar dinheiro aos negros para que fosse possível comprar armas e planejar o melhor meio para o deslocamento dos escravos do Recôncavo em direção a Salvador para, unindo-se aos homens de cada freguesia da cidade, formar o exército de negros necessário ao enfrentamento com os brancos. Ahuna não mais coordenava as ações, pois estava sempre vigiado, mas quando conseguia subornar um capitão-do-mato, participava das reuniões, fortalecendo sua liderança e a confiança dos negros.

Com o tempo, a estrutura necessária para dar suporte à revolta estava montada e Luiza, juntamente com Dandará, Calafate, Licutan e Sanin, armou uma estratégia de assalto à cidade da Bahia pelos escravos do Recôncavo que, às vésperas da Noite do Destino, já deveriam estar no litoral para, com os saveiros contratados para essa finalidade, cruzarem a baía de Todos-os-Santos e, assim, juntarem-se aos negros reunidos em cada freguesia da cidade.

A essa altura, a base da rebelião fora construída, os recursos foram levantados, os negros estavam mobilizados e a estratégia estava definida. Faltava apenas decidir a data em que os negros da Bahia tomariam posse do seu destino.

SABINA E SULE

I

Vizinho a Dandará, morava Sabina Cruz, a liberta mais bela do Gravatá. Mulata de olhos esgazeados e corpo arredondado, era a rainha do bairro e para horror de Sule, seu marido, andava por toda a parte, conversando em cada casa e em cada esquina, ciente do seu encanto e a ouvir prazenteira o assovio dos homens como que marcando sua passagem. Mas o prazer de sentir-se desejada esgotava-se em si mesmo e, embora desse trela a qualquer conversa e seu tagarelar fosse motivo de chacota no bairro, jamais permitia que o galanteio e a cantada, que ela adorava ouvir, fossem adiante.

Sabina amava seu marido Sule, de nome cristão Vitório, acima de qualquer coisa e, se o provocava atiçando o desejo de outros homens, era apenas para vê-lo registrar com seu ciúme o quanto a desejava. Para desespero dele, Sabina andava se requebrando e com tal sensualidade, que os homens quedavam-se extasiados a apreciá-la e ela os seduzia com o olhar, os gestos e parecia pronta a atender o chamado daquele que fosse capaz de conquistá-la. Mas nenhum homem jamais foi capaz de fazê-lo, pois, quando não eram contidos pela violência de Sule, que, para seu deleite, arrematava fora de si contra qualquer um que dela se aproximasse, ela própria se encarregava de dissuadi-los. Ao mesmo tempo que os atraía, os despachava sem qualquer cerimônia. Sabina seduzia todos os homens com o objetivo de ter apenas um. E se precisava disso para testar a cada momento sua capacidade de atrair e encantar, disso se valia para manter Sule sempre a seus pés, disposto a protegê-la de si mesma.

Assim mantiveram-se casados por dez anos, embora fosse impossível compreender como aquele casamento havia prosperado, tantas eram as desavenças e as brigas que, não raro, envolviam toda a vizinhança. O mais provável é que a razão da permanência passasse pelo temperamento de ambos, pois ao arrengar autoritário e incontrolável de Sabina se contrapunha a indiferença e a desfaçatez de Sule, que tudo ouvia, sem muito revidar, mas ignorava cada palavra da mulher e apenas fazia o que lhe dava na telha.

Sabina era uma mulher de temperamento forte, dessas que não medem as consequências quando desejam impor sua vontade. E de caráter autoritário, de tal modo que, para contrapor-se às suas opiniões, era preciso disposição para a luta, o que lhe valia, com aqueles igualmente dispostos a defender com afinco seus pontos de vista, inimizades incontornáveis. No mais das vezes, a religião estava no centro de suas querelas, pois Sabina convertera-se à religião católica e, beata das beatas, não apenas assistia à missa todos os dias na Igreja de Santana, mas fazia das ruas seu púlpito e parava em cada canto do bairro, num trabalho quase missionário de conversão, quase sempre inútil, pois os muitos negros viam na fé cristã um dos esteios da escravidão. Mas, ao tempo que fazia seu proselitismo, Sabina inteirava-se também de tudo o que passava no Gravatá e adjacências e conhecia a miúdo as intimidades dos seus moradores.

Sabina e Sule não tinham filhos e isso talvez os tivesse conduzido, após dez anos de um casamento conturbado, a caminhos tão parecidos e ao mesmo tempo tão díspares, pois, enquanto ela passava o dia pregando o evangelho cristão e conversando de porta em porta, Sule, discreto e infatigável, vendia cortes de fazendas em um balaio na Rua Guadalupe, ao tempo em que arregimentava o povo negro para a religião do Profeta e para a luta que iria libertar os escravos da Bahia.

Sabina tinha conhecimento das andanças de Sule e de sua conversão a Maomé, e muitas vezes suas intermináveis discussões começavam com esse mote e, embora invariavelmente se transformassem em crises de ciúmes, sempre terminavam com ela acusando-o de herege e ele chamando-a de puta beata. Sabina subestimava Sule e essa era uma forma de mantê-lo sob seu domínio, por isso não dava muita importância a seu papel de arregimentador de negros para a crença do Profeta ou para uma improvável revolta contra os brancos, enquanto ele, ao tempo em que desmerecia a mulher chamando-a de ignorante e adoradora de pau, referindo-se aos santos da igreja católica, estimulava sua beatice e seus mexericos, para assim mantê-la ocupada, deixando-o livre para tocar sua vida.

Um abismo separava Vitório e Sabina, e era como se eles não se apercebessem dele, mas o fosso tornou-se insuportável e intransponível quando Luiza abancou sua quitanda no Gravatá e, aos poucos, o local tornou-se o ponto de encontro dos que viviam no bairro e em toda a redondeza.

Sem perceber, Luiza apossou-se do trono de Sabina e solapou a base na qual ela havia edificado sua existência. Antes, a catequese de Sabina recebia atenção e interesse especialmente pelos jovens que ainda acreditavam ser capazes de seduzi-la mostrando-se interessados em sua doutrinação. Mas agora, eles só tinham olhos para Luiza e no bairro só se falava dela e de suas heresias. Para Sabina, pior do que ver-se esquecida e muitas vezes ridicularizada na sua pregação, foi perceber que o elogio à sua beleza e a corte que os homens faziam na esperança de conquistá-la haviam sido transferidos para a Princesa e em tudo ela parecia disposta a suplantá-la.

A Princesa tornara-se a rainha do Gravatá e, deposta, Sabina muniu-se com as armas de que dispunha para recuperar a realeza. Assim, o foco de sua catequese deslocou-se do trabalho missionário para a guerra de estratégia. Ela passou a contrapor Jesus a Maomé, e sua peroração procurava mostrar Satanás falando pela boca de Luiza e dando lugar a todo tipo de heresia na maldita quitanda, que sob seu comando unia os orixás ao iníquo, agora alcunhado de Profeta e ao deus mentiroso apelidado de Alá. Cada palavra de Sabina buscava denegrir a imagem de Luiza e, após perceber que malês e pais de santo frequentavam a quitanda herética, passou a denunciá-la como a sacerdotisa vulgar daquela junção infame.

Sabina não estava interessada apenas em fortalecer a fé cristã e denunciar o herético pacto que parecia unir os negros de todas as religiões numa ofensa comum a Jesus. Sabia que sua pregação tinha pouco apelo quando seguia por esse caminho; assim, buscou atingir a rival no que ela tinha de mais autêntico e verdadeiro: a sua liberdade de amar e de fazer sexo com quem mais lhe aprouvesse.

Quem anda de porta em porta sabe que a apologia política ou religiosa desperta pouca atenção e que nada interessa mais a quem nada tem de útil para se interessar do que a vida alheia, especialmente aquela que se faz original e autêntica e, por isso, precisa ser denegrida para desdiferenciar-se.

E assim, a vida de Luiza tornou-se a razão de viver de Sabina e, de tal modo, que cada passo seu era observado, cada palavra dita era julgada e cada gesto criticado e divulgado em toda a parte pela óptica da maledicência e da depravação.

Luiza, ao contrário, tratava sua algoz com a indiferença, uma arma poderosa, mas que pode voltar-se contra quem a empunha, pois, ao não dar qualquer atenção aos mexericos da vizinha, ou esquivar-se de responder às suas provocações, tampouco os desdizia, nem se dava ao trabalho de conversar com as comadres para desmenti-los e elas, como tinham inveja da sua beleza e alegria, terminavam por formar um pequeno exército a serviço de Sabina, marchando pelas ruas a apregoar sua vida devassa.

Assim a quitanda tornou-se um prostíbulo, e à noite recebia dezenas de negros que vinham satisfazer seus recônditos desejos, enquanto sua dona passou a ser a cafetina que lhes agenciava as mulheres. E as comadres tornaram Luiza a puta bancada pelo fidalgo da Rua do Pilar, que deitava com brancos e negros, e não tinha vergonha de deixar circulando pela casa seu filho bastardo cujo mulatismo não escondia sua luxúria.

Apesar do empenho das comadres, a fofoca e a maledicência não prosperavam entre os moradores do Gravatá. Além disso, Sanin e Licutan, que com frequência visitavam a quitanda à noite, e a própria Luiza, achavam que tudo aquilo ia ao encontro de seus interesses e terminava por tornar-se uma explicação para a frequência de negros na casa da Princesa.

Tudo permaneceria nos seus conformes e tanto a maledicência de Sabina, quanto a indiferença de Luiza seguiriam seu rumo, não fosse o amor que, de repente, brotou no peito de Vitório Sule.

II

Apesar dos avisos de Emerenciana, Luiza só tomou conhecimento de Sabina quando o matraquear da vizinha abandonou sua vida sexual e passou a interessar-se por sua liderança entre os escravos. Luiza sabia que era amada pelos negros da cidade da Bahia, e para eles pouco importava se ela fosse amante deste ou daquele. Assim, não deu maior importância quando Sabina começou a difamá-la de porta em porta chamando-a de puta e de vadia que de dia paparicava os brancos e de noite deitava-se com os negros nos fundos de sua quitanda. Tampouco se lhe afigurou relevante Sabina insinuar por toda parte que ela andava de olho em seu marido e bravateasse que, mais dia menos dia, daria uma surra na suposta princesa cujo único atributo era a sedução do homem alheio.

Luiza não olhava Sule com olhos de amante, seu interesse por ele estava circunscrito apenas ao papel do vendedor de tecidos na organização da revolta. E nisso o mascate era incansável e dedicava-se inteiramente a arregimentar os negros e convencê-los de que o dia da libertação se aproximava. Reunia-se com eles em toda parte, anunciando a aproximação do dia em que malês, nagôs, haussás, e todo o povo negro se uniria para, sob a liderança do guerreiro Ahuna e de Luiza Princesa, libertá-los e tomar a cidade da Bahia.

Se o matraquear de Sabina permanecesse voltado para o mexerico sexual, tudo estaria nos conformes, pensava Luiza, até porque as insinuações desviavam a atenção dos seus passos. Afinal, ninguém repara nas andanças de uma puta ou nos seus encontros. Assim tudo estaria bem, não fosse o amor que aos poucos foi tomando conta do peito de Sule, fazendo seus olhos brilharem ao vê-la, tornando-o inteiramente submisso aos seus desejos, e de tal modo apaixonado, que ele passou cortejá-la na frente de todos, pouco ligando se seu comportamento chegaria aos ouvidos de Sabina.

Luiza não tinha olhos para Sule, mas a insistência de Sabina em afirmar que ela o estava seduzindo, acabou por torná-lo mais interessante do que ele realmente era. Se aquele homem era tão amado por aquela mulher forte e determinada, algo de especial devia haver nele, pensava Luiza, como por vezes pensam as mulheres. E foi o ciúme de Sabina, e não o cortejar de Sule, a simpatia que a fez reparar nele.

Sabina tinha aguçado o sentido de posse e sabia quando seu homem estava atraído por outra mulher. Assim, se antes divulgava que a Princesa seduzia seu marido apenas para elevar-se mostrando o interesse dela por seu homem, de repente percebeu que ele estava verdadeiramente apaixonado e tomou-se de ódio por ambos.

A partir de então passou a controlar cada passo do marido e a vigiar todos os movimentos de Luiza. Logo percebeu que ela tinha sobre ele e sobre os demais negros uma ascendência incompreensível e lhes dava ordens e determinava suas ações. Espionando-a, pôs-se a par de toda a movimentação que ocorria à noite na quitanda do Gravatá e compreendeu que os negros não estavam ali para desfrutar do corpo de Luiza, mas para organizar uma revolta contra os poderosos, cujo desfecho seria certamente a morte de muitos negros ou centenas de chibatadas, e Sule certamente sofreria a punição.

Por muito tempo Sabina espionou seu marido, seguiu-o por toda a cidade, presenciou sua catequese a favor dos malês e viu-o arregimentando negros enquanto fingia mascatear. Comprovou ser ele um dos líderes da rebelião tramada todas as noites na quitanda de Luiza, mas em nenhum momento o viu acostando-se com ela ou qualquer outra. Os contatos entre os dois se davam sempre em grupo e, quando estavam a sós, a conversa era breve e quase formal. Supondo que podia salvar seu casamento e de quebra desviar Sule daquela revolta que punha sua vida em risco, questionou-o, ainda sem mágoa na alma:

— Diz-me, Sule, o que você pretende, reunindo os negros e ensinando-os a ler naquela tábua amaldiçoada.

— Faço o que sempre fiz. De há muito você sabe que rezo pela cartilha do Profeta — respondeu, aparentando calma.

— Qual é, Sule? — retrucou, Sabina irritada. — Você reza pela cartilha do Profeta apenas para pôr-se contra mim, converteu-se apenas para dizer aos negros que enfrenta sua mulher, pois ela crê no Cristo, o único e verdadeiro Deus.

— Você continua a crer que é o centro do mundo e, por isso, tudo o que eu faço tem você como objetivo. Minhas ações são sempre contra ou a favor de você, não é? Não é assim que você pensa? — replicou Sule, com raiva. — Mas você está errada, Sabina, rezo pelo Islã, pois sei que só com a força de Alá encontraremos o caminho da liberdade. E você nada tem a ver com isso!

— Deixa de bobagem, Sule, que esta é mais uma manobra sua para tornar-se mais importante aos meus olhos. Mas se não for, é pior, e será o mais perigoso de todos os seus estratagemas, pois vai resultar em tronco e chibatada.

— O que você está dizendo, mulher? Está me seguindo? Viu alguma coisa que não deveria ver? — perguntou Sule, assustado, ao perceber que a mulher sabia mais do que aparentava.

— O pouco do que pude ver foi suficiente para perceber algo perigoso sendo tramado na casa daquela puta e nem sei se tem a ver com a xereca dela. Você parece enfeitiçado por aquela pagã, faz o que ela manda, submete-se aos seus desejos e reúne-se até altas horas da noite para falar e cantar hinos — respondeu, elevando a voz.

Sule compreendeu que Sabina estava a par de muito do que se passava e tentou mostrar como aquilo era importante para ele:

— Sabina, estou no meio de algo grande, e peço que, pelo menos desta vez, você não se meta nisso. A vida inteira foi assim, basta eu me destacar e você se põe contra, ignora quando os outros elogiam meu parecer, ou tenta me ridicularizar. Você tenta manter-me ao seu lado subjugando-me, impedindo minhas ações para assim estar sempre preso ao seu mundo pequeno e fútil. Mas isso acabou, estou no meio de uma luta maior, de uma causa pela qual vale a pena morrer e, não tenha dúvida, se for preciso darei minha vida por ela.

— Que vida que nada! No máximo vai dar sua bunda para o chicote e seu pescoço para o pelourinho. Eu sei de tudo, Sule, ou pelo menos sinto o cheiro de coisa ruim no ar. Essa puta que reúne negros na quitanda quer é lhe comer e é tão presunçosa, que está se metendo com o que não controla. Esse negócio de revolta está se espalhando e é ela quem está por trás disso. E eu sou capaz de denunciá-la, para assim colocar mais uma prostituta na cadeia. E lembre-se, na hora H ela vai se apegar ao fidalgo que a sustenta, ou ao promotor que quer comê-la, se ainda já não comeu, mas você vai se apegar a quem? Vai é tomar muita surra e morrer no tronco.

Sule acalmou-se, seu rosto assumiu um ar de preocupação, ao ver que Sabina era capaz de tudo e refluiu:

— Deixe disso, Sabina. Não é nada disso que você está pensando. A gente se reúne às vezes na quitanda, é verdade, mas é apenas para rezar o *tècèba* e ler o livro do Profeta.

— E depois você vai para cama com ela, não é, Sule? — indagou Sabina, irônica. — Diga a verdade à sua mulher que sempre lhe foi fiel, enquanto ela deu aquela buceta suja à metade da cidade.

— Posso jurar que nunca tive nada com Luiza — disse Sule, com a convicção de quem estava dizendo a verdade, embora todo o seu corpo desejasse o contrário. Sabina percebeu que ele não mentia e refluiu na sua indignação:

— Jura que nunca foi para cama com ela? — inquiriu, mais calma.

— Juro.

— E a revolta dos negros? — insistiu Sabina.

— Sobre isso não quero falar!

— Então está confirmado o que dizem pelas ruas, que vocês estão tramando uma rebelião, que querem matar todos os brancos e os mulatos também. Isso é grave, Sule, me diga que não é verdade. Tenho raiva de você pelo que me faz passar, mas não quero vê-lo morto.

As lágrimas derramaram-se no rosto de Sabina, como uma mensagem a dizer que ela o amava e que queria vê-lo simples e sem destaque ao seu lado por toda a vida. Sule percebeu a calma tomando conta de Sabina, e o sedativo foi a certeza que ela agora parecia ter de que não havia nada entre ele e Luiza. Mas não se podia brincar com uma mulher dotada de tamanho instinto, ainda mais porque esse instinto já lhe havia indicado que alguma coisa estava sendo tramada pelos negros que frequentavam a quitanda do Gravatá, por isso resolveu contar parte da verdade, sabendo que ela pode ser dita de forma a esconder mais do que revelar.

— É verdade, Sabina, os negros discutiam, nos intervalos das rezas, se seria possível organizar uma revolta de modo a libertar os negros da escravidão. Alguns dos homens que frequentam a quitanda de Luiza são alufás, sacerdotes em suas terras de origem e acostumados às guerras que suas tribos travavam na África, e não nego que muitas vezes falamos em guerrear contra os brancos. Mas o plano não seguiu em frente. Uma revolta de negros será impossível, pois quando reunimos outros negros, aqueles que são regidos pelos orixás, as brigas começam e ainda existem aqueles, como você, convertidos à religião dos brancos...

Sabina o interrompeu, com convicção:

— A religião não é apenas dos brancos, é a religião de todos. Cristo não é apenas o Cristo dos brancos.

— Eu sei, eu sei — aquiesceu Sule, temendo uma ladainha beata —, mas quero lhe dizer que essa revolta nunca acontecerá, pois quando reunimos os negros de diversas religiões, eles começam a brigar entre si e não raro a guerra se instala entre eles.

A explicação pareceu convencer Sabina, ciente das desavenças entre os negros por causa da crença de cada um:

— Isso é verdade. Eu que tento passar a palavra do verdadeiro Deus, sinto que é impossível ver os malês ao lado daqueles que frequentam o candomblé da Rua do Godinho. Mas prometa-me que você não vai se envolver mais com esses alufás, ou que nome tenham, e que vai deixar de frequentar essa puta da quitanda.

— Está bem, está bem, prometo — disse ele querendo pôr fim à conversa.

— Lembre-se, Sule — reiterou Sabina —, essas revoltas nunca dão em nada, a não ser em muita chibatada e nem me importo tanto se você tomar uma centena delas no lombo. Mas lhe juro pelo Deus que acredito, se eu lhe pegar de novo com essa puta alcunhada de princesa, não respondo por mim.

III

Era noite alta quando Vitório Sule saltou do saveiro de volta das suas andanças pelo Recôncavo e dirigiu-se para a quitanda do Gravatá. Queria ver Luiza, dizer a ela que em cada engenho da região de Santo Amaro havia uma célula de Alá e em Cachoeira cada senzala onde um negro aguilhoado ou liberto estivesse, já se sabia da revolta. No íntimo, seu desejo era apenas vê-la, sentir seu perfume, aquele perfume natural que o deixava enlouquecido e o tornava bobo, submisso aos seus desejos, obediente às suas vontades, risonho aos seus dichotes. Sule estava apaixonado, e esse amor tornou-se tão exclusivo, que ele já não procurava Sabina na cama, e nas raras vezes que o fazia, em seu pensamento Luiza tomava o lugar dela. Sule era um homem tímido e de poucas palavras, afeito a ilusões irrealizáveis, e fantasiava um amor que Luiza não sentia por ele. Supunha poder conquistá-la por meio de seu afinco em prol da revolta, embora a revolta a essa altura fosse para ele apenas um pretexto para que a princesa reparasse em si.

Luiza nunca se deu conta de que o amor tinha montado guarda no coração de Sule, até que Sabina a despertou para isso. Ainda assim nada fez para atraí-lo e provavelmente não o faria, ou talvez o fizesse se ele mostrasse claramente seu desejo. Mas Sule era um homem de pensamento, não de ação, estava a todo momento a insinuar-se, beijando-lhe a face, colocando a mão em suas coxas quando sentavam lado a lado, elogiando sua elegância e o porte, mas não agia com decisão, quedava-se à espera do consentimento ou da disposição dela.

No amor, Luiza tomava a iniciativa, mas apenas quando amava ou era atraída pela força ou pela beleza de um homem, e esse homem não era Sule. Por ele sentia carinho, por vezes pena ao vê-lo incapaz de ser dono de si mesmo, estando sempre à espreita da ordem ou da reação de sua mulher.

Mas Luiza, independentemente do desejo de entregar-se, adorava ser cortejada, e a corte explícita e contínua que Sule fazia a todo momento foi aos poucos cativando-a e, quando percebeu em Sabina sua rival, teve a certeza de que poderia fazer amor com aquele mascate tímido. E como uma noite é do diabo e a outra de Deus, Luiza, que estava à espera de Sule para saber das tratativas que fizera no Recôncavo, gostou de estar pensando nele, e, de repente, sem dar por si, levantou a saia e pôs-se a alisar as coxas roliças, depois tirou a calcinha e colocou a mão na sua buceta úmida, imaginando ser a mão do mascate. Quando seus dedos bolinavam o ponto em que dormia o prazer, bateram na porta e, com um sorriso de menina que ganhou um presente estampado nos lábios, ela abriu, surpresa por estar tão feliz em vê-lo. Conversaram durante quase um hora, sentados juntos no banco da mesa tosca, mapeando cada sítio do Recôncavo e registrando o escravo por ele responsável. Vendo que a revolta tomava corpo, Luiza sentiu-se feliz, ou talvez sua felicidade não estivesse nos preparativos da guerra, mas no gosto de sentir sua coxa bater na dele e de vê-lo estremecer e ela umedecer-se, ambos se preparando para o amor. Quando Sule, meio envergonhado, colocou a mão em sua perna torneada e ainda esperava o consentimento para prosseguir, foi surpreendido pela mão tépida que pegou na sua e a levou vagarosamente para dentro do vestido e a surpresa transformou-se em êxtase ao perceber que Luiza estava sem calcinha e o puxava para dentro de si.

Ao ver que ela o queria, a timidez se desfez e surgiu um amante seguro do seu desejo, que acariciava seu sexo gentilmente, tocando-a com os dedos em movimentos ritmados e parando por vezes para, com a mão espalmada, apertá-lo vagarosamente como se fosse uma maçã que se envolve antes de saborear.

Depois, lânguida, Luiza abandonou-se em suas mãos, e ele a colocou deitada na mesa e tirou devagar o vestido de algodão grosseiro para então começar a beijar todo o seu corpo, detendo-se por muito tempo em seu sexo, até que ela, exausta, abriu os braços e disse: venha! Com todo o sangue concentrado no centro do corpo, Sule tentou possuí-la com um movimento rápido, mas, desajeitado, não encontrou o caminho e ela o tocou com a mão quente e dirigiu o que ela queria para onde ele queria.

Amaram o amor que não estava planejado e brotou espontâneo do desejo de cada um e agora, nus, deitados na ampla mesa de madeira grossa da cozinha, cada um pensava em si mesmo e, enquanto Luiza, saciada, voltou a ver Sule apenas como o companheiro da luta, ele voltou seus pensamentos para Sabina, pensando em como ela reagiria ao vê-lo ali nu e feliz. E sentiu-se mais uma vez dominado, pois pensava nela mesmo quando amava outra.

Ensimesmados, ambos miravam o teto quando um grito se fez ouvir lá fora e, num pulo, Luiza, lembrando-se do filho que brincava na casa ao lado, correu à porta, nua como estava, e a abriu de chofre para dar de cara com Sabina. Sem lhe dirigir a palavra, ela entrou de supetão e viu Sule, nu, deitado na mesa da cozinha e ainda meio apalermado sem compreender o que se passava.

Então, Sabina correu para cima dele sem dar tempo a explicações, e gritando com todas as suas forças, deu murros em seu rosto e bateu nele desesperadamente, sem que fosse possível contê-la.

Luiza não se moveu; nua como estava, encostou-se no batente da porta e assistiu à contenda, preocupada, temendo pela repercussão de tudo aquilo na revolta que já tinha dia e hora para acontecer; mas, ciente de que nada mais poderia fazer, deixou-os brigando, antes que Sabina se voltasse para ela. Embrulhando-se numa toalha de mesa trancou-se no quarto de Edum e dormiu ao seu lado como se nada estivesse acontecendo.

FERRAZ

I

Era 1835. Os ricos e poderosos da cidade da Bahia começam a chegar à mansão do comerciante José Cerqueira Lima, na Vitória. É passagem de ano, e de longe é possível ver o palacete, antiga residência dos presidentes da Província, todo iluminado e as carruagens que, amontoadas à entrada, abrem-se quase em sincronia para dar caminho à fina flor da sociedade baiana. Cerqueira Lima recebe a todos ao pé da enorme escadaria, ao lado da esposa, Suzana, e seus sorrisos variam de acordo com o tamanho da carruagem que apeia à sua frente, quase desaparecendo quando vê estacionar uma cadeirinha de arruar. Seu sorriso é um instrumento de aprovação ou desagrado, alastrando-se quando se depara com seus clientes no tráfico de escravos ou tornando-se quase imperceptível ao mirar os importadores ingleses que atura, mas não suporta. Não faz muito, o brigue Cerqueira e a goeleta Carlota foram capturados por navios ingleses, e Cerqueira Lima empenhou-se pessoalmente, ao lado do irmão, numa querela com o governo britânico em busca das indenizações que acreditava fazer jus.

Cerqueira Lima é o maior traficante de escravos da Bahia, embora o comércio de negros esteja na ilegalidade e a entrada de novos escravos terminantemente proibida. Seu belo palacete na Freguesia da Vitória descortina inteiramente o mar da baía de Todos-os-Santos. Das suas inúmeras sacadas é possível ver seus brigues e goeletas ancorados nas proximidades. Na praia, aos fundos da casa quase pendurada nas escarpas da baía, meio escondido, a fim de não desobedecer ostensivamente as leis do Império, está o subterrâneo, um enorme túnel de tijolos aparentes, caminho para a mercadoria viva desembarcada clandestinamente dos seus negreiros, construído nas barbas dos ingleses cujo poder era bem menor do que eles imaginavam ter.

"O homem mais rico da Bahia", Cerqueira Lima gosta do título, embora saiba que ele não lhe dá poder suficiente para escorraçar o inglês que, neste momento, sobe as escadarias do seu palácio.

Cabtree posa de protetor dos negros, mas quer apenas bajular a corte para continuar recebendo as libras que lhe permitiram construir a mansão vizinha à minha, certamente para espionar-me, para ver quantos negros desembarcam no porto Cerqueira, que as autoridades brasileiras sabem existir e os ingleses não desconhecem. Cabtree é um hipócrita e sua fortuna vem do tráfico, tanto quanto a minha. Os caminhos tortuosos que os navios ingleses trilham pelos mares, capturando meus brigues são caminhos da pilhagem, e parte dela desembarca na mesa de Cabtree. Protetor de escravos, faça-me uma garapa! Protetor de escravos que possui mais de trinta deles servindo-o e à sua família, serviço de cama e mesa, pois ninguém desconhece as preferências sexuais do seu filho Peter. Não faz dez anos, pagou-me uma fortuna pela bela Luiza, então uma moleca cujos peitos mal apontavam.

Cerqueira envolve a mão do inglês nas suas, e o cumprimento efusivo que se segue é o avesso dos seus pensamentos. Sorri para Alice e reserva uma leve saudação a Peter Cabtree que acompanha o pai, de braço dado com a esposa, Dayse.

E pensar que esse imbecil deixou Luiza por ordem dessa branquela sem graça. E a deu de bandeja ao Albuquerque. Negrinha tinhosa como aquela não ia se prestar a servir a esses ingleses de bosta.

Uma coincidência inoportuna parece ter unido Luiza, que passeia fagueira em seus pensamentos, com o homem que agora desce da cadeirinha de arruar. Altivo, ele entrega a capa e a cartola ao lacaio de libré escarlate que lhe aguarda no patamar e cumprimenta o comendador e sua esposa, sem sorrir, com uma circunspecção pouco comum na passagem de ano. Empafioso, Ângelo Ferraz, o promotor público da cidade da Bahia, segue em direção ao salão, e sutilmente eleva a mão para que os presentes possam ver a pedra vermelha incrustada no anel rebuscado que arrosta sua condição de bacharel laureado da Faculdade de Direito de Olinda. Um ricto de desprezo desenha-se imperceptível no rosto de Cerqueira Lima.

Não gosto desse homem. É um fraco já se vê. Se lhe adivinha no andar o dândi que deveria advogar em Paris e não nessa terra de negros e capatazes. O que lhe sobra em erudição, falta-lhe em determinação. Nunca deveriam tê-lo nomeado promotor público. Falta-lhe fibra para a função. E essa simpatia pelos negros, que a princípio pensei fosse arte para inglês ver, parece genuína.

Cerqueira Lima deixa seu lugar ao pé da escadaria e segue em direção ao salão já apinhado. A essa altura, os grupos estão formados ao redor das mesas em que sobressaem as louças inglesas e os talheres de cabo de marfim ou de madrepérola, e se estruturam de acordo com regras que parecem impregnadas no subconsciente de cada conviva, quase que ordenando que as mulheres reúnam-se em grupos ao centro da sala, onde o lustro de cristal Baccarat parece coroá-las, e os homens ocupem a periferia em grupos próximos às sacadas.

Feitas as honras da casa, o comendador passeia pelo grande salão renovando seus cumprimentos, distribuindo elogios e gracejos e reservando a cada cavalheiro e cada dama um *"mot d'espirit"*, o que lhe valia, a par de sua bem-montada e pouco lida biblioteca, a fama de homem inclinado à cultura e às artes. Tal inclinação limitava-se aos benefícios sociais e econômicos daí advindos, por isso, em vez de dirigir-se ao grupo onde estão reunidos os poetas e intelectuais, beneficiários de sua hospitalidade, encaminha-se, como que atendendo ao chamado de uma voz de timbre autoritário que pontifica no salão, à mesa na qual estão reunidos aqueles que conduzem os destinos da Província.

— Malês! São negros de outra estirpe.

O timbre de voz do Martins agrada-me, anuncia não apenas o cargo que ocupa, mas a sua coragem. Nesse é possível confiar.

Cerqueira Lima confiava no chefe de polícia, Francisco Gonçalves Martins, um jovem advogado que ele vira crescer no Engenho Papagaio e lhe devia a nomeação. Homem de sua estrita confiança e ademais ambicioso, sabia acercar-se daqueles de quem poderia valer-se em busca dos seus objetivos e, o mais importante, defendia a escravidão com a coragem selvagem dos que se recusam a discernir sobre ela.

— Então, meu caro Martins, em que diferem esses malês dos demais negros? — inquiriu Cerqueira, batendo-lhe carinhosamente nas costas.

Martins gostou de ver-se distinguido e saboreou a oportunidade de tornar-se o objeto da atenção de todos.

— A educação, meu caro comendador, a educação; mas não apenas isto. São negros altivos, insubmissos e, talvez por causa de sua estranha religião, dados à revolta.

— Ora, ora, Martins, negros perdem a insubmissão ao estalo do chicote, sejam educados ou não, religiosos ou não — rebateu o comerciante Varella, conhecido pela crueldade com que tratava seus escravos.

— E o chicote saberá estalar na hora certa, tenha certeza o amigo — retrucou o chefe de polícia. — Mas reitero que devemos agir de maneira diferenciada com eles. Esses negros sabem ler e escrever, não a nossa língua cristã, mas uma língua bárbara, formada de garranchos ininteligíveis e, segundo relatam meus informantes, andam pelas ruas ensinando-a a outros negros. Eles formam uma espécie de congregação com muitos membros, aliás, um dos líderes dos negros malês é o escravo Pacífico, chamado de Licutan, que pertence ao nosso Varella.

Varella aquiesceu com um sorriso e completou, irônico:

— E ambos sabemos que ele está na masmorra, e, certamente, não está lá por dinheiro.

— É verdade, meu caro — prosseguiu Martins —, mas, ainda que este malê esteja preso, é preciso, e com urgência, reprimir as manifestações religiosas dos outros negros, pois esses ritos os unem e trazem o pretexto para a realização de assembleias que não raro descambam em ideias conspiratórias.

Todos concordaram, mas não escapou ao comendador Cerqueira o ar de reprovação pouco disfarçada assentada no rosto dos poucos ingleses presentes, e isso foi a senha para a provocação:

— Engraçado, o meu amigo Cabtree — e essas palavras formaram um ricto de ironia nos lábios do comendador — não parece preocupado com os malês, pelo contrário, discorre com certa simpatia sobre esses negros que ele abriga em sua mansão, aqui mesmo a poucos metros da minha. E, dizem-me os criados, nosso bravo conterrâneo do pirata Drake não só aprova suas bruxarias, como permitiu até que eles construíssem um templo no seu quintal.

Cabtree manteve-se silencioso, mirando de soslaio o excesso de gestos que acompanhou a fala do comendador, enquanto os demais riram à socapa, mas o promotor Ferraz os calou:

— Ao contrário dos senhores, o Conde dos Arcos dizia que se deveria não só permitir, mas estimular as manifestações religiosas dos escravos, pois, longe de uni-los, elas exacerbariam suas diferenças étnicas. Aliás, é o que se vê. Afinal, a religião desses malês nada tem a ver com os cantos e danças de outros negros e com as crenças pagãs da maioria dos escravos africanos.

O chefe de polícia riu e comentou, sarcástico:

— O nosso nobre causídico esquece que a gestão do Conde dos Arcos foi marcada por revoltas e conspirações exatamente por causa dessa liberalidade excessiva. E não é demais lembrar: muitos afirmam que a revolta de 1814 teve como líder um malê, conhecido como "malomi" João. Ao lado do seu capanga Francisco Cidade, esse homem liderou os haussás articulando uma estranha união entre negros de crenças bem diferentes.

— Nisso a razão está com você, Martins — retorquiu Ferraz, sem deixar-se intimidar. — Se os malês conseguirem juntar-se aos demais negros, se conseguirem que todas aquelas etnias e crenças unam-se em torno de um objetivo comum, aí, meu caro amigo, você estará ferrado, pois numa cidade de absoluta maioria negra como essa, uma rebelião passaria a todos nós pelo fio da espada, para usar uma expressão cara a esses negros que se dizem muçulmanos.

O comendador levou a mão ao pescoço e começou a suar, incapaz de esconder o medo que minava do seu corpo sempre que a hipótese de uma rebelião se insinuava.

Este homem tem o condão de aguçar meus temores.

Cerqueira desviou o olhar do promotor e, visivelmente nervoso, voltou-se para o chefe de polícia averiguando a consistência daquela hipótese:

— Mas falta a liga, comendador — disse Martins, com segurança —, a liga capaz de amalgamar os negros e seus deuses, fazendo brilhar o metal da liberdade.

Foi então que o promotor surpreendeu a todos ao afirmar:

— Talvez, meu caro Martins, a liga seja uma bela negra que um dia você me apresentou.

II

Ângelo Muniz Ferraz, o jovem promotor público da cidade da Bahia, passou a frequentar a quitanda de Luiza quando Francisco Martins lhe disse que ali vivia a negra mais bonita da Bahia e de toda a África. Entretanto, diferente dele, cujo interesse restringia-se à sua bunda arrebitada e às coxas roliças, suspeitou que a grande afluência de negros ao local não era motivada apenas pela beleza da antiga escrava ou tão-somente pelos seus quitutes.

Ferraz foi o primeiro a perceber que os negros de todas as etnias tratavam Luiza com uma mesura fora do comum e mesmo os malês, tão ciosos de sua crença e tão ortodoxos em seus ensinamentos, pareciam reverenciá-la.

E não somente os negros se mostravam enfeitiçados pelo carisma da quitandeira. Os brancos das famílias mais abastadas da cidade ficavam extasiados com sua beleza e, assim, se pela noite homens e mulheres negras enchiam a casa de Luiza para ouvir seu canto, durante o dia eram eles que cantavam conforme sua música.

Ferraz era perspicaz e estava preocupado com os rumores sobre a organização dos negros na cidade e começou a frequentar a quitanda para descobrir as razões do respeito e da quase veneração que escravos e libertos tinham por Luiza. Essa estranha reverência de muçulmanos, para quem as mulheres são seres inferiores, e de negros pagãos, ignorantes e capazes de tomar à força uma mulher com tal beleza, chamou atenção do promotor, que viu ali um atalho para obter informações valiosas.

Assim, aproximou-se de Luiza sem alarde, como se fosse mais um dos jovens senhores atraídos por seus encantos. E todos os dias, pela manhã, antes de dirigir-se ao fórum, passava caminhando pela fonte do Gravatá, onde a dois passos ficava a quitanda de Luiza, e desvendou-lhe os horários, de tal modo que estava lá, sempre às 10 horas, quando ela, invariavelmente, lavava a calçada e começava a colocar as mesas na rua, transformando o local num pequeno restaurante. Nesse horário podia cumprimentá-la e entabular uma conversa descompromissada, pois os fidalgos, incansáveis quando se tratava de cortejá-la, somente começavam a rondar a quitanda perto do meio-dia. Não sabiam eles que espetáculo perdiam, pois àquela hora Luiza despia-se do ar compromissado de concubina de rico fidalgo português com o qual afugentava os moços, não sem antes brindar-lhes com um sorriso matizado de promessas, e das vestes compridas e rendadas com que recebia seus fregueses, para, usando apenas uma saia cujo comprimento nunca ultrapassava os joelhos, presentear os viandantes com a visão das suas formosas coxas e da bunda, que parecia arrebatar-se mais quando ela se abaixava lançando água por toda a parte com o balde.

Ferraz esquecia seus propósitos ante aquela deslumbrante visão, e muitas vezes surpreendeu-se cortejando-a como se ela fosse uma senhorinha filha de rico fidalgo. Em Luiza o pano das costas parecia mais belo que os véus de seda, e as miçangas tornavam-se pérolas, mais belas que as usadas pelas esposas dos senhores de engenho.

Na verdade, por mais ricas e atraentes que fossem, Ferraz parecia desdenhar essas moças fidalgas de diálogo fútil e ar superior, sempre cônscias do dote que carregavam, tornando-o, nos salões requintados, o mote dos comentários maldosos, que ora o davam por doente e sem vontade, e sua palidez parecia corroborar o mexerico, ora o faziam perdidamente apaixonado por senhora da alta sociedade cujo marido passava todo o tempo no engenho a perseguir negrinhas infantes, e que, mandava a discrição, jamais se pronunciava o nome. Os rapazes, irritados com a impressão causada nas jovens por aquele homem alto e elegante, sempre de chapéu alto e vestido de casaca de corte inglês e por vezes de capa espanhola, levavam a compadrice para outras plagas e garantiam não ser o promotor afeito aquilo que os vestidos de cauda bordada escondiam.

Ferraz não se dava conta dos mexericos e tampouco estava interessado em namorar esta ou aquela filha deste ou daquele comerciante de escravos. Suas vistas estavam voltadas para a capital da República, onde sua carreira floresceria, especialmente se prestasse ao Imperador e à classe política um serviço de envergadura.

E se esse serviço tivesse o condão de abortar uma rebelião de escravos e se essa rebelião fosse a maior de todas, como se dizia no cais, em Guadalupe e na cadeia da Câmara, onde o detento Licutan era dado como possível articulador dos rebeldes, seu futuro na corte estaria garantido.

Por isso, ainda que fossem um ímã poderoso, tirava os olhos dos seios empinados da ex-escrava e mirava o outro lado para não ver o requebro que fazia o sangue desaparecer de sua cabeça e fluir para o ventre distraindo-o dos seus interesses. Atribuía seu empenho à necessidade de elevar-se diante dos poderosos, prestando-lhes um serviço; todavia, por mais que quisesse convencer-se do contrário, algum sentimento, cuja origem não sabia explicar, também o impelia a conversar com ela. Aos poucos, uma simpatia impertinente por aquela negra de beleza estonteante aboletou-se sem licença em seu espírito e o dominou completamente.

— Sabe, Luiza, agora entendo por que a chamam de princesa. Seu rosto é mais belo que o das mulheres da corte, e seu corpo faria inveja às damas de Portugal e alhures — disse-lhe certa vez, arriscando uma intimidade maior, para vê-la contestar de imediato:

— Não é meu corpo que me faz Princesa, senhor Promotor. Princesa sou de sangue, e meu pai foi rei da nação dos mais guapos guerreiros da África.

Calava-se, então, sem dar trela às perguntas que Ferraz fazia em carretilha, desconfiada dos interesses do promotor público, homem poderoso, capaz de impedir seus planos e, mais ainda, se lhe aprouvesse. Mas, embora todo o cuidado fosse pouco, não podia deixar de admirar o doutor almofadinha.

Como é bonito este sinhozinho! Resta saber se é meu corpo desejoso que lhe dá esse ar encantado, ou se há alguma coisa mais.

A tez rosada e o cabelo castanho claro, encaracolado, tão raro nas terras da Bahia, vestiam-no de anjo e um sorriso quase angelical emoldurava suas palavras que, por vezes, soavam mentirosas e assumiam um toque amalandrado em nada consoante com ele, mas que o tornava extremamente sedutor. Luiza, então, o olhava de soslaio e por vezes pensava em tê-lo na cama.

Eis um branco que eu poderia amar.

Logo, Ferraz percebeu que nada saberia sobre a revolta por meio de Luiza, mas, não suspendeu suas visitas. Continuou a vê-la todos os dias, admirando-a encantado e, como se houvesse um desalinho entre seu pensar e seu querer, aos poucos nada mais parecia interessá-lo a não ser o corpo que se requebrava com o balde na mão, as pernas que se mostravam quando a vassoura corria pela calçada de pedra e a sombra triangular formada no branco da calcinha de algodão grosso que ele vislumbrava quando Luiza, cansada, sentava-se com as pernas entreabertas.

E ele permanecia mais tempo do que deveria na quitanda, esquecido das horas, puxando conversa, olvidando a rebelião que dominava todos os seus pensamentos e apreciando apenas o estar com Luiza.

E assim os dias se passavam, e o promotor, pretextando a si mesmo estar em busca de informações sobre a revolta, passava todos os dias pela quitanda de Luiza e ali permanecia a conversar, mesmo quando já sabia que nada ouviria sobre isso. Ela deixava-se estar com aquele homem acreditando nos líderes muçurumins, que diziam ser bom seduzi-lo para assim vigiá-lo e ter conhecimento dos seus passos, embora logo percebesse outros motivos, além desse, para estar com ele.

Acontecia entre Ferraz e Luiza algo que os romances não sabem explicar. Ambos tinham interesses predeterminados e estavam inteiramente dedicados a eles, ambos sabiam que tais interesses os colocavam em lados opostos. Cada um a seu modo tentava extrair do outro informações para viabilizar sua consecução, ambos se sabiam inimigos, mas, ainda assim, uma química estranha, uma atração irresistível os impelia a estar juntos. E, quando juntos, falavam de todas as coisas, da cidade da Bahia e das terras da África, dos seus quitutes saborosos e da oratória que nele parecia inata, da alforria dela e da ambição dele, que, por vezes, lhe parecia uma prisão.

E tão íntimo se tornaram, que permitia a Luiza desatar o nó da sua ambição, sequestrando-o do país regido pela vaidade dos homens e tornando-o contemplativo, inteiramente ocupado em admirá-la. Ele confessava então seu cativeiro, mostrava as correntes aprisionando-o a um desejo posto na sua cabeça desde criança e das quais sentia-se incapaz de libertar-se. Era o promotor da cidade da Bahia e fora talhado para sê-lo e seria um dos grandes homens do Império, não importa que meios utilizasse para alcançar esse intento. Esse desígnio fora marcado a ferro em sua vontade por seu pai, que só por meio dessa glória prometida fora capaz de amá-lo. E também por sua mãe que, exilada do mundo por uma religião sempre disposta a exigir sacrifícios e à qual ela deu em holocausto seu próprio filho abandonando-o, só podia enxergá-lo quando ele estava no alto e era impossível não vê-lo.

Nesses momentos, Luiza compadecia-se dele e, na mulher, o compadecimento precede o amor. Ela então tornava-se afável e meiga, tocava em seus cabelos com os dedos, passava a mão pelo seu rosto e dizia que seu desejo de glória era apenas o desejo de ser amado. Contudo, o amor não se prestava a essa troca e, mais glória ele tivesse, mais distanciado do amor estaria.

III

Era domingo, e à noite Luiza havia sonhado com Ferraz. Um sonho que não era só desejo, no qual o jovem promotor assumia a liderança dos negros e com eles invadia as ruas da cidade da Bahia para enfrentar os poderosos e vencê-los e, então, carregá-la no braços, levando-a à sacada da janela do Paço Municipal, para vê-la aclamada pelo seu povo como rainha. Depois, a grande sala de votos do Palácio, com seu piso marchetado e os grandes lustres pendentes, transmudava-se em uma alcova verde com um grande dossel ao centro, para o qual Ferraz a levava e, então, os dois despiam-se tirando cada peça com graça, como se dançassem para homenagear a liberdade e selar o novo pacto entre negros e brancos firmado por ambos ao amarem-se desesperadamente. O sonho encerrou-se em gozo e fez Luiza abrir os olhos ao sentir do seu corpo escorrer as gotas do amor, enquanto seu rosto adquiria a serenidade do desejo saciado.

Em Luiza os sinais se codificam espontaneamente e tornam-se sons, dança, oração ou quitutes; e o aceno que a noite lhe trouxe a levou até a cozinha da quitanda para preparar uma canjica a fim de presentear o jovem promotor, desenganando-o dos poderes da glória e da ambição, para que, pelo menos por um momento, ele se tornasse apenas um homem. E para o homem que ela desejaria que ele fosse, preparou a canjica mais doce da Bahia e iria à sua casa na Faísca entregá-la pessoalmente para, assim, homenageá-lo e induzi-lo a desejar ser o que ela desejaria que ele fosse, embora sabendo que jamais o seria.

Mas, embora quisesse esconder de si mesma tal verdade, o mimo que lhe será entregue mascara, além do desejo de agradá-lo, outra necessidade: a de averiguar os planos do chefe de polícia que, dizia-se à boca pequena, estaria disposto a apertar o cerco contra as manifestações religiosas, encaradas agora como o culto a uma revolta anunciada. Martins era um homem autoritário, mas inteiramente afeito à hierarquia, por isso, se algo estivesse sendo planejado, antes seria submetido ao promotor público, pois, embora fossem nítidas as desavenças entre os dois, ambos caminhavam pela mesma vereda e um atalho imprevisto lhes seria inconveniente.

Luiza admirava a inteligência e a gentileza do promotor público e acreditava na sua vontade de tornar-se um homem melhor, e (como esconder isso de si mesma?) sabia que seu corpo como que se encharcava de desejo quando ele a tocava, quando seus olhos pousavam nas suas coxas ou sua mão roçava seu ventre. Mas, se essa vontade era tamanha que a fazia gozar com ele em sonho, um outro desejo maior ainda a impelia a vê-lo: proteger a causa pela qual ela havia tanto se empenhado. *Assim é a vida*, pensava Luiza, enquanto debulhava o milho da canjica. *Os desejos podem andar juntos mesmo sendo antagônicos, e cabe ir ao seu encalço e realizá-los embora as consequências estejam a recomendar sua irrealização.*

Quando a canjica ficou pronta, Luiza banhou-se demoradamente, colocou seu melhor vestido, perfumou-se com alfazema e, gargantilhada de colares, bateu à casa do promotor, sem aparentar outro motivo, senão o de presenteá-lo com a melhor guloseima jamais feita.

Ferraz estava na sacada do sobrado quando a viu aproximar-se e apressou-se em descer para recebê-la. Também ele debatia-se entre dois desejos. Mas bastava vê-la, como agora, no vestido de chita decotado, suspenso em seus seios duros e pontudos e, cinturado, lhe marcando o corpo perfeito, fazendo o desejo de estar com ela sobrepujar todos os demais, para acreditar que uma deusa negra capaz de transformar seus sonhos em realidade estava a bater à sua porta. Extasiado, ele foi ao seu encontro e a recebeu em sua casa.

Luiza entrou descontraída, dona do seu desejo, e viu o homem que desejava amar desfazer-se em gentilezas, mesmo sendo ela apenas uma negra liberta. Encantada, disse com a voz doce como o doce que levava nas mãos.

— Sonhei com o senhorzinho esta noite, por isso vim lhe trazer um presente. Eu mesma fiz — disse Luiza entregando-lhe o prato de canjica.

— E como foi esse sonho, Princesa? — retrucou Ferraz, faceiro como soem ser os homens quando desejam as mulheres.

— Isso não posso lhe dizer, há coisas que não se diz, apenas se faz...

Então, como se ela tivesse dito uma palavra mágica, ele colocou a canjica na mesa, tomou sua mão e a levou para o quarto, onde, surpresa e feliz, Luiza viu que havia um dossel, como no sonho, com um cortinado de filó branco, do mesmo tecido com que se cobria o colo das noivas, quando caminhavam para o altar. E foi como se noiva fosse, que ela se deixou despir e viu o corpo do promotor anunciar vigorosamente seu desejo. Ele precisou da razão para não deixar a ansiedade pôr tudo a perder, por isso passou a tocá-la de leve com as mãos, depois beijou cada parte do seu corpo e deteve-se no seu sexo entreaberto, beijando-o como se fossem lábios. A Princesa sentiu seu corpo estremecer e o deixou assim, depois abriu mais as pernas e puxou-o para dentro dela, emparelhando os corpos, transformando-os no símbolo da comunhão entre homem e mulher, e naquele momento pouco importava a cor de cada um deles.

Amaram-se pela primeira vez como se muitas vezes já se tivessem amado, e o silêncio deu seguimento ao amor, anunciando que aqueles corpos haviam se decifrado. Nada mais poderia ser dito enquanto a saciedade não desse novamente lugar ao pensamento. Como sempre, esse lugar vazio e belo foi preenchido pelo homem, primeiro com o ciúme, depois com a ambição.

— E se eu lhe disser que nunca amei ninguém como o fiz agora e que não quero abandoná-la nunca mais?

— Meu branco lindo — retrucou Luiza vagarosamente, sem vontade de conversar —, na vida, não existe "nunca mais" nem "sempre", na vida existe apenas o "agora", e é a ele que devemos dedicar-nos.

— Mas podíamos fazer do "agora" nosso dia a dia, você estaria sempre comigo e eu a tornaria minha princesa, ainda que para isso fosse preciso enfrentar a sociedade inteira.

Luiza sorriu e já era dona do seu corpo, quando redarguiu altiva.

— Não posso estar sempre contigo, meu lindo, pois sou do mundo e amo a diversidade; além disso, não posso ser sua princesa. Jamais serei princesa de um homem só.

— Quer dizer que deseja outros homens, embora eu possa lhe dar tudo? — replicou, acenando-lhe com o ouro por meio do qual os homens pensam seduzir as mulheres.

Luiza sorriu novamente, e o sorriso parecia lembrar ao promotor o quanto suas palavras soavam falsas, ou, talvez, ingênuas, mas a graça não tem a força que às vezes as palavras precisam ter. E ela rebateu com força, como se estivesse na praça a discursar.

— Eu não quero que você me dê "tudo". Não quero ser sua amante negra, aquela que substituirá sua esposa branca e fria na cama, mas só na cama, pois na sua sociedade não há lugar para negras, nem quando são libertas. Amante já fui, já tive um fidalgo que me dava "tudo" e isso nunca me bastou. Amo a liberdade de um jeito grande, sem grilhões, só assim posso amá-lo como fiz agora. Vim aqui para isso, mas isso jamais impedirá que eu possa bater na porta da casa de outro homem amanhã, se assim o desejar. Não posso amar um homem só, nem que ele seja, como seu nome diz, um anjo. Eu o amo, meu corpo quer amá-lo, mas amo também Ahuna, Diogo e até Sule. Não posso ser princesa de um homem só, somente o serei de todo o meu povo.

Ferraz de repente lembrou-se que era o promotor público, seu rosto crispou-se e, por pouco, a reação àquelas palavras não veio forte, como lhe pareceu que devia vir, pois estavam carregadas de uma liberdade natural nele mesmo, mas inadmissível em uma mulher, fosse ela branca ou negra. Conteve-se e, censurando-se pelo momento de ingênuo enternecimento por Luiza, refugiou-se no desejo de poder e de reconhecimento e foi dominado novamente pelo interesse maior que o movia. Então, tornou-se inquisidor:

— E quem é esse Ahuna? É o líder do seu povo?

— Ahuna é um homem. Um homem que eu amo — respondeu Luiza, com a voz pausada.

— Diogo eu conheço. Não é aquele escravo dos Cabtree, que construiu uma igreja no fundo do sobrado?

— Diogo é um homem. E também o amo.

Ele levantou o tom de voz e disse, irônico:

— Ora, Luiza, pelo que vejo, você ama metade da Bahia, não me admira que faça sexo com tanto prazer.

Luiza viu o ciúme entrar na alcova e, tal como um mestre de marionetes, passar a comandar as palavras e os gestos de Ferraz, pouco ligando se ele era o promotor público da cidade da Bahia, e os fios passaram a levantar suas mãos e da sua boca, rasgada como a de um boneco de ventríloquo, saíam palavras grosseiras, iguais às de todo homem cujo amor se transmuda em posse. Por isso, ela não rebateu a grosseria, até porque não a insultava, mas assemelhou-lhe a ele e, mesmo sabendo que pouco ou nenhuma informação dali tiraria, voltou-se também para os seus interesses:

— Está bem, eu lhe direi quem é Ahuna e o que faz Diogo, mas antes conte-me sobre o chefe de polícia. Dizem que ele pretende desbaratar os cultos dos escravos, e que haverá uma prisão em massa.

Ângelo Ferraz era um homem sensível e culto e despiu-se novamente da toga, ao ver Luiza lendo no mesmo *vade-mécum* que ele por vezes abominava. Fazia-se forte sem ser, mostrava-se respeitado sem dar tanta importância ao respeito, dizia-se moralista, mas sua moral nada tinha a ver com aquela que lhe incutiram. Estava apaixonado por Luiza, e sua arrogância tinha apenas o intuito de impressioná-la. E de, talvez, expressar seu ciúme, pois, como soem pensar os homens na sua incomensurável incapacidade de expressar os sentimentos, o ciúme era uma forma menos delicada, mas não menos verdadeira de demonstrar amor. Mas, vendo-a falar sobre o chefe de polícia, vendo-a agir como ele, tergiversando, para assim atingir seus objetivos, refluiu e voltou a ser o homem que gostaria de ser e que amava aquela mulher.

— Perdoe-me, Luiza, não quero mais saber quem é Ahuna ou o que faz Diogo. Não vou usar o que sinto por você para torná-la uma alcaguete, nem você o permitiria. Se eu pudesse afastá-la de tudo isso o faria, pois o que virá, se realmente vir, trará sangue e dor para a cidade da Bahia, mas não tenho esse direito ou esse poder.

Luiza reconheceu novamente o homem que ela poderia amar, mas, diferente dele, não se afastou do seu propósito.

— Não sei se algo virá. Sei apenas que só se alcança a liberdade com sangue e dor.

O Ferraz que a contestou não foi o promotor público, mas o homem que a amava.

— Luiza, afaste-se desse cálice. Eles farão de tudo para manter-se no poder e será fácil desbaratar um bando de negros sem armas. Não se deixe levar apenas pelo desejo, não se envolva com uma rebelião cujo símbolo será o tronco e as chibatadas.

— Não existe rebelião nenhuma — retrucou, arrependida por lhe ter dado a impressão de que poderia acontecer uma revolta e que seria possível evitá-la.

— Está bem. Mas lembre-se, se você precisar de mim, estarei ao seu lado. E você sabe que tenho poder para intervir.

Luiza olhou com carinho para aquele homem e teve pena dele, pois era igual a todo homem atormentado pelo desejo de poder. Aproximou-se e o beijou na boca, depois disse:

— Você é um homem bom. Não direi nada, pois nada há para dizer. Mas talvez, num outro tempo, você possa lutar pela liberdade de todos. Voltarei aqui para amá-lo novamente, se tempo houver para que possamos nos amar.

Beijou-o de novo e, como se estivesse selando um pacto, disse:

— E se um dia o punhal for de encontro ao seu corpo, colocarei o meu no caminho para protegê-lo. Agora preciso saber de algo...

— Se souber, lhe direi — interrompeu Ferraz.

— A mesquita da Vitória. Falam por aí que o Martins vai destruí-la e que apenas espera um pretexto para fazê-lo. É um símbolo para meu povo. Ele o fará? Há um plano para destruir as casas de culto dos negros da Bahia?

— Não, isso posso lhe garantir. Vamos manter aquilo que o Conde dos Arcos pregava. E isto foi combinado com o Martins e o Presidente da Província.

Luiza sorriu, agradecida. Na porta, beijou-o mais uma vez e disse:

— Se nos encontrarmos na rua, não se ponha contra mim. Eu o amei hoje, como talvez nunca tenha amado antes.

IV

Ferraz irritou-se ao saber que o inspetor André Marques havia invadido a mesquita da Vitória, sem nem sequer consultá-lo, indo contra as suas ordens no sentido de deixar os negros comemorarem livremente suas festas religiosas. A polícia não devia provocar os negros, mesmo aqueles que pareciam suspeitos, pois assim seria possível acompanhar os passos dos revoltosos e chegar aos seus líderes. Ferraz estava em busca da gênese da rebelião que os boatos afiançavam estar prestes a estourar, queria descobrir se os malês estavam realmente por trás dela e até onde a religião moldava a vontade deles. Não apoiava os negros, como diziam seus inimigos, nem lhe interessava ver a escravidão ser derrubada à força, pois tinha planos mais razoáveis em relação a isso. Não era favorável à libertação imediata dos escravos, pois via nisso uma precipitação, com efeitos desastrosos para a economia do Império; desejava apresentar ao governo um novo estatuto para reger a escravidão, um código moderno que não daria a tão sonhada alforria, mas prepararia o país para que isso ocorresse no futuro.

O promotor já redigia esse novo estatuto que, embora mantendo a propriedade escrava, obrigava o Senhor de Engenho a assalariar seus escravos em montante suficiente para viabilizar o consumo dos bens não produzidos na propriedade. Além disso, queria garantir aos seus filhos algum tipo de aprendizado de ofício e outros pequenos direitos, tornando menos cruel o jugo a que estavam submetidos. Entre esses direitos, estava o de culto religioso livre, pois Ferraz, mais que comungar com as ideias do Conde dos Arcos, cujo objetivo era estimular as guerras religiosas no âmbito das etnias negras e assim dividir para governar, acreditava que a religião tinha poder educativo e tornava os negros mais próximos da civilização.

Ferraz tinha consciência do quanto suas proposições eram românticas. Afinal, não se podia dar liberdade pela metade, nem exigir aos senhores o aumento de despesas com a manutenção dos negros, inviabilizando negócios, mas no fundo era isso o que pretendia: tornar tão cara a manutenção dos escravos, que os próprios senhores terminariam por propor sua libertação. E no seu estatuto idealista, a liberdade de culto era um dos fundamentos, mas era preciso ter cuidado com os malês e sua crença exclusivista que, diferente das demais, trazia Deus para o campo político e admitia a guerra como meio de libertação. Era preciso entender melhor a pretensão daqueles negros muçulmanos, averiguar a força da sua influência entre os demais escravos e não destruir templos e matar sacerdotes, como havia feito o bárbaro inspetor na Freguesia da Vitória.

Assim, ao saber do que havia se passado nas comemorações do Lailat Al-Miraj, saiu de sua casa na cercania da Faísca e foi à Rua da Oração decidido a questionar o chefe de polícia que parecia alheio às suas ordens e aos seus planos. Martins não tinha os pruridos intelectuais de Ferraz, tampouco estava preocupado com os escravos e suas crenças pagãs ou muçulmanas, tão próximas da feitiçaria. O que movia suas ações era unicamente o desejo de elevar-se aos olhos dos poderosos visando ascender na carreira política.

Por isso respondeu sem pestanejar ao questionamento do promotor:

— Mandei acabar com o batuque africano, porque o Cerqueira anda amedrontado com a movimentação desses malês.

— Mas, Martins — replicou Ferraz, sem esconder o aborrecimento —, combinamos não despertar a atenção dos negros antes de avaliar melhor suas ações. Tenho acompanhado a movimentação deles, especialmente dos malês, vou quase todos os dias à quitanda de Luiza para averiguar suas intenções e...

— Ao que me consta — interrompeu Martins, sarcástico — o promotor está mais interessado nas coxas da Princesa do que no pensamento dos malês.

Ferraz fingiu não entender e manteve o ar de repreensão:

— O Cerqueira ainda não ocupa a promotoria da cidade da Bahia — disse, elevando a voz, para depois perguntar: — E por que enviou o André Marques à Freguesia da Vitória, sabendo que esse inspetor mais parece um capataz e tem ojeriza por qualquer um que tenha sangue negro?

— É, talvez eu tenha errado em mandar o André; afinal, não era preciso mais do que pôr no chão aquele barraco.

— Você não está percebendo? Um homem foi morto. Não se pode matar um homem assim, sem mais nem menos e...

— Ora, Ferraz — interrompeu novamente o chefe de polícia, agora com um tom autoritário. — Não era um homem, era um escravo e enfrentou o inspetor e a patrulha. Muito me admira sua preocupação com esse escravo, dezenas são mortos nos engenhos todos os dias e nem por isso o ilustre promotor se digna a velar por eles. Por que esse negro lhe desperta tanto interesse, meu caro Ferraz?

Deu um risinho sardônico, que lhe puxou para baixo a comissura dos lábios, fazendo seu rosto contrair-se para trás numa careta histriônica, e respondeu à sua própria indagação com outra pergunta:

— Será porque a Princesa tomou-se tristeza pela sua morte?

— Deixe disso, Martins. Preocupa-me seu desleixo para com um plano que traçamos juntos — retrucou o promotor tentando ignorar o ar mordaz do delegado que parecia disposto a provocá-lo.

— Sabe, dizem por aí que o escravo era seu amante, talvez por isso ela tenha ficado histérica ao vê-lo morto, pelo menos foi o que me disse o Marques. Ele afirma que a Princesa partiu para cima dele como uma cadela enfurecida e só não atirou nela exatamente para dar continuidade ao seu plano. Mas há quem diga, Ferraz, que Luiza nada fez, apenas chorou desconsolada, abraçada a mais um dos seus muitos amantes. Como você pode ver, nas terras da Bahia o promotor público tem de dividir o amor de uma negra com outros escravos.

Ferraz não respondeu. Sabia que nada mais havia a fazer e não queria estimular o ódio do chefe de polícia que, a essa altura, parecia obedecer mais às ordens do comendador Cerqueira do que às suas. Preferiu ir ao Caminho do Gravatá ver Luiza, consolá-la, e dizer-lhe que não partira dele a ordem para derrubar a mesquita negra da Vitória tampouco a violência daí resultante.

Ao passar pela Praça Municipal em direção à Ladeira da Praça, voltou os olhos para o mar da baía e viu-se de mãos dadas com Luiza entrando num navio que os levaria a Londres para aí, sem negreiros, nem escravidão, sem coronéis ou traficantes de escravos, poder amá-la sem explicações ou justificativas. Mas o pensamento sabia-se um intruso e logo foi expulso para dar lugar ao desejo de poder que o movia e tinha como objetivo impedir uma revolta de negros na cidade da Bahia, ainda que para isso fosse necessário usar Luiza. Depois se encarregaria de salvá-la.

Martins era um torpe, não percebia que Luiza era a alma de qualquer rebelião que houvesse na cidade da Bahia, e não apenas de negros, ela era a alma da sua própria rebelião e, insanamente, fazia-o esquecer momentaneamente que seu objetivo na vida não poderia ser apenas o amor de uma mulher, ainda mais de uma mulher negra. Ferraz desejava Luiza como nunca desejou mulher alguma, mas achava que podia tê-la sem abandonar sua carreira e seu desejo de poder, pelo contrário, após tirar dela as informações necessárias, iria protegê-la, mostrar-lhe a inconsequência de uma revolta cujo desfecho não traria nada além de sangue e castigo e que ela, liberta e amada, não precisaria de nada além dele, muito menos envolver-se numa aventura.

Os planos do promotor eram diferentes daqueles traçados pelo Martins, cuja intenção era apenas reprimir a revolta da forma mais brutal possível, para assim dar exemplo aos negros e mostrar aos brancos poderosos que a força da sua mão era quem os protegia. Ele, não, Ferraz buscava algo mais e, embora estivesse disposto a desbaratar os planos dos revoltosos, queria fazê-lo sem derramar sangue; e o episódio deveria servir de modo didático para mostrar, aos mesmos brancos poderosos, que havia uma forma mais inteligente e menos aviltante de manter o trabalho dos negros. Usava Luiza em busca de informações e sabia do seu envolvimento no levante, mas fazia isso certo de que a estava salvando. No entanto, não podia desvencilhar-se da ideia de que Luiza fazia o mesmo com ele e também tentava tirar-lhe informações preciosas.

Era o que passava pela cabeça do promotor quando ele bateu na porta da quitanda do Gravatá. Luiza não veio abrir, quem o fez foi Edum e disse que ela não queria vê-lo. Ferraz insistiu, mas Edum o reteve, afirmando que ela estava de cama, deprimida com a morte de Diogo. Não desejava ver ninguém e aconselhou-o a ir embora, pois ela o acusava de ter ordenado a invasão da mesquita.

Ao ouvir essas palavras, Ferraz forçou a entrada, passou por Edum e foi direto ao quarto de Luiza. Entrou e, mesmo sob a tensão do momento, não pôde deixar de admirá-la, mais que isso, extasiou-se ao vê-la deitada de bruços, chorando, com a saia levantada que, incapaz de cobrir sua bunda arrebitada, embrenhava-se entre suas coxas. Ele parou, apreciando-a, e, por um momento, pensou o quanto era estranha a natureza humana que, mesmo nos momentos mais dramáticos, deixava-se levar pela beleza de um corpo ou pela graça de um movimento. Lembrou-se, não fazia muito, do enterro de um grande amigo, morto precocemente por causa de uma febre malsã, quando, embora verdadeiramente comovido com sua perda a ponto de lágrimas verterem dos seus olhos, surpreendeu-se, logo depois, a olhar fixamente para a viúva, a admirar seu porte elegante e as curvas arredondadas mal-escondidas sob o vestido negro, olhando-a como se estivesse a cortejá-la.

Agora se passou o mesmo e, embora soubesse que Luiza chorava a morte de alguém amado, pensou como seria bom esquecer tudo aquilo e simplesmente jogar-se na cama com ela e amá-la desesperadamente. Parado, olhava fixo para as coxas da Princesa, quando ela virou-se, com os olhos vermelhos e a expressão triste, e disse:

— Não quero vê-lo, vá embora.

— Deixe-me explicar, eu... — gaguejou ao ver a raiva estampada nos olhos da Princesa.

— Você me garantiu que a mesquita não seria atacada — interrompeu Luiza, sem esconder a dor e a decepção que sentia.

— Eu não sabia, foi ele, o Martins. Ele desobedeceu às minhas ordens.

— Fui ingênua, deixei-me levar por sua fala mansa, esquecendo-me de que brancos como você colocam o poder e o dinheiro acima de qualquer coisa. Não quero mais vê-lo, nós dois temos sonhos opostos e estamos enganando um ao outro.

— Luiza, eu...

Ela já não o ouvia, com um gesto firme o pôs para fora do quarto. Depois, chorando, rezou por Diogo e tão grande era sua dor, que nem sequer distinguia a qual Deus dirigia sua prece.

MORTE NA MESQUITA NEGRA

I

É sábado de um novembro quente como poucas vezes se viu na cidade da Bahia. Os negros estão reunidos na mesquita construída nos fundos da casa de Joseph Cabtree, na estrada da Vitória, e as mulheres dançam ao som de uma música misteriosa. As lembranças daquela casa animam Luiza e tocam seu coração, ali ela se fez mulher, conheceu o amor do homem branco e fez amor com os negros que desejou, não por dinheiro, ou pela lascívia da senhora Cerqueira Lima, mas porque nela o amor e o sexo jamais se separavam, e o prazer não vinha dos homens com quem ela se deitava, e sim da sua natureza que tornava espontâneo e simples aquilo que os brancos envolviam em mistérios e traições.

Ali, na cabana de Diogo, conheceu a lei do Profeta, estudou as palavras que hoje pronuncia com fé e rezou uma reza que não era sua, mas tornou-se, pois, afinal, parecia-se com todas as outras. A mesquita da Vitória era o templo no qual Luiza aprendeu a ter fé no amor, a rezar pelos homens, pouco importando qual a prece, e a cultivar a liberdade por mais distante que ela parecesse estar. Ali amou Peter Cabtree, deitou-se com Diogo e deixou que Ahuna a possuísse e, novamente, amaria um homem naquela casa, mesmo sabendo ser a casa de Deus, pois só podia acreditar num deus próximo das coisas do amor.

É na cabana que se comemora o Lailat Al-Miraj, a festa muçulmana dos malês da Bahia, e Luiza roda feliz pelo salão, dançando com uma faixa de pano amarelo em volta do pescoço. Sobre a anágua, cuja barra rendada toca-lhe as panturrilhas, sobrepõe-se uma saia branca rodada encimada por uma blusa alva, quase transparente, com três botões abertos que lhe descobrem o colo. Por trás dela transparecem os seios duros e pontudos, meio escondidos pelo pano da costa caído no ombro, perfeitos em sua forma de pera, e a cintura fina e bem torneada que, de repente, desabrocha num quadril arrebatado e faz seu andar majestoso.

Luiza teve o corpo esculpido por um artista com *expertise* na arte das proporções, talvez por isso a coreografia realce seu corpo, sugerindo uma sensualidade delicada, que primeiro insinua e encanta o olhar, para só então tornar-se desejo. A cada volta ela sorri, e os olhos negros e brilhantes, ressaltados pelas pálpebras pintadas de azul, com a mesma tinta que os mestres malês escrevem suas orações na *wàlàà*, parecem rodar com ela sem jamais fixarem-se em ninguém, dando ao rosto uma suavidade robusta, que precisaria de um oximoro poderoso para ser descrito.

Dançando, ela segura o pano colorido pelas extremidades e volteia no centro do círculo onde as mulheres esperam a sua vez. Elas vestem-se de modo diferente, quase todas de saia de chita e algumas com o turbante árabe, mas parecem ofuscadas por Luiza, que agora retira o pano do pescoço e envolve uma delas puxando-a para o centro do salão. Uma a uma, dançam as mulheres num bailado sincrético e, por vezes, a música muçulmana mescla-se ao trejeito do candomblé.

Às vésperas da revolta que virá, Luiza é o elo que une os malês aos Orixás e no Lailat Al-Miraj os malês toleram, embora à revelia daqueles que só veem o Profeta pelas lentes da ortodoxia, a explosão da alegria iorubá e, embora pareça impossível, os tambores árabes e as maracas se afinam com os atabaques e os agogôs, e o abadá branco dos muçulmanos parece igual à bata daqueles que veneram Oxalá.

Luiza e os mestres malês haviam alcançado seu objetivo. Juntaram os negros de variadas crenças na festa que comemorava a ascensão do profeta Maomé, fortalecendo a fé de todos e permitindo a manifestação sincrética em danças e folguedos, deixando horrorizados os malês mais ortodoxos, mas amalgamando-os num desígnio comum: tomar de assalto a cidade da Bahia.

E aquele foi um Lailat Al-Miraj diferente, pois estavam presentes, não apenas os mestres malês, mas os líderes do candomblé e de outras religiões. Unidos pela força da Princesa, sentaram-se à mesa do jantar que precedeu a dança, comeram o efó e o inhame, provaram leite e mel e aceitaram a liderança muçulmana na revolta que libertaria o povo negro da Bahia, quando fosse o tempo.

Luiza era senhora desse tempo e agora não pensava na guerra, pois ainda a via distante, apenas dançava, e a graça dos seus passos espantava as preces do Alcorão, fazia desaparecer as rezas nagôs e assombrava os deuses e orixás que já não tinham abrigo na mente dos homens, pois, extasiados, naquele momento veneravam apenas a Princesa e sua dança. Diogo olhava a mulher por quem sempre esteve apaixonado desde o dia em que ela, quase uma menina, tirou-lhe uma por uma as roupas do corpo e lhe ensinou a amar. Tão grande foi sua felicidade que, após aprender como se fazia o amor, levantou-se e, mirando Meca, rezou e agradeceu ao Profeta a graça concedida. Luiza não era a mulher que Alá havia lhe prometido e sobre a qual teria proeminência, não era a fêmea obediente e inferior ao homem, como dizia o Alcorão, era apenas a mulher cujo amor guardou no peito durante toda sua vida, e o Profeta certamente admitiria ser ela como era, pois na escravidão as mulheres são o que são, não o que os profetas desejam. Diogo amava Luiza, assim como amava o Islã, mas jamais poderia tê-la, a não ser por um momento, pois são assim os tesouros que nos são destinados. Deles só temos a posse no fugidio momento de uma prece, ou no efêmero instante em que amamos uma mulher.

E, pensando nesse instante, ele toca as mãos de Luiza chamando-a para dançar e ela aceita, pois ainda hoje ama aquele homem tímido, que nunca havia amado uma mulher antes dela e que gemeu de prazer quando ela deitou-se sobre ele e o recebeu dentro de si. Diogo era seu homem, pois o havia amado. Mas Peter também o era e Ahuna o era mais ainda. E havia o jovem promotor, que mais parecia um dândi e estava sempre a visitar seus pensamentos e todos os dias ia vê-la lavar o pátio da quitanda para assim mirar suas pernas e fixar os olhos em sua bunda.

Beijou Diogo e colou suas pernas às dele para averiguar se ele ainda a amava, mas, antes que o amor se levantasse em Diogo, ouviu um tiro no jardim. Sob as ordens do inspetor André Marques uma patrulha se apresentava na mesquita, disposta a acabar com a festa pagã que infernizava os ouvidos dos cristãos e indignava seus espíritos. Com o mosquete apontado para o alto, o inspetor intimidava os negros e exigia que todos deixassem o templo herético, pois, por ordem do juiz da freguesia, ele deveria ser derrubado. James e Diogo haviam construído aquela cabana, que para eles era como um templo conquistado, e arguiram o inspetor como sacerdotes protegendo um santuário:

— O que fazemos aqui é do conhecimento do proprietário desta casa, Joseph Cabtree, a quem pertencemos e nos deu autorização para construí-la e aqui reunirmo-nos.

— A autorização está desfeita — rechaçou, aos gritos, o inspetor. — O juiz da freguesia esteve há pouco com seu senhor, reclamando dos ritos heréticos aqui realizados, e dele recebeu autorização para pôr abaixo essa cabana do diabo.

Nesse momento, Luiza abriu caminho entre os negros e pôs-se entre os dois, inquirindo o inspetor:

— Se assim for, por que o senhor desta casa não está aqui para, ele mesmo, impor seus ditames? Eles são ingleses não leem na sua cartilha. — A Princesa deu um passo seguro e, frente a frente ao policial, quase que ordenou: — Nossos cantos são permitidos pela lei que você representa, vá embora e deixe-nos em paz.

Marques riu, debochado, e respondeu:

— Quieta aí, minha gostosa, que não tenho satisfação a lhe dar, a não ser quando suas pernas estiverem abertas na minha frente.

Com um empurrão jogou Luiza ao chão e foi como se uma senha tivesse sido dada e os negros se puseram em guarda, preparando-se para a peleja e muitos deles já ensaiavam os passos da luta que parecia dança e assustava os policiais.

O inspetor não vacilou, e sob seu comando as armas foram engatilhadas prenunciando uma carnificina, mas nesse momento, Peter Cabtree apareceu na sacada que dava para o quintal do palacete e pediu calma aos policiais. Então, desceu as escadas e na roda em que estavam seus escravos disse:

— James e Diogo, por nossa boa vontade concedemos a vocês a autorização para construir essa cabana e aqui receber seus amigos e rezarem para seus deuses. Fomos condescendentes e liberais, como soem ser os ingleses, e continuaremos tratando-os de maneira civilizada. Mas, em nome da boa convivência, resolvemos atender ao juiz da freguesia e aos vizinhos que se queixam do barulho. A cabana será derrubada, pois assim será melhor para todos. — Virou-se então para o inspetor e disse: — Mas o será por eles que a construíram, Inspetor.

Ainda no chão, Luiza esperou ansiosa que Peter Cabtree fizesse justiça e mantivesse a palavra empenhada, mas ao vê-lo transigir, levantou-se possessa e olhando-o nos olhos, gritou:

— Que homem é você que manda derrubar a casa que antes mandou construir apenas para satisfazer seus algozes? E que país é a sua Inglaterra que se diz contra o tráfico de escravos, mas o permite; que se diz contra a escravidão, mas vale-se dela? Você é na vida como é na cama, ama uma mulher valendo-se do "sexo" de outra.

Enquanto falava, Luiza avançou em direção a Cabtree que deu um passo atrás, assustado, levando o inspetor Marques a agarrá-la pelo braço. Ela desvencilhou-se e o empurrou, jogando-o no chão. Possesso com a ousadia da negra, Marques não trastejou, apontou a arma para ela e apertou o gatilho, mas nesse exato momento Diogo jogou-se em sua frente e teve o peito aberto pela carga da espingarda, caindo ensanguentado e já agonizando. O grito de Luiza ecoou então por toda a Freguesia da Vitória, e era tanta a dor daquele lamento, que os policiais ficaram paralisados, enquanto, agarrada a Diogo, ela chorava desesperada vendo-o estertorar.

A comoção da Princesa acalmou os espíritos e os policiais atenderam ao pedido de Cabtree para que fossem embora, após lhes garantir que a cabana estaria no chão no dia seguinte.

O dia que se seguiu ao Lailat-Al Miraj foi de tristeza e revolta para Luiza e, enquanto as tábuas da mesquita negra da Vitória iam ao chão, ela repetia com ódio as palavras de Ahuna, ditas na noite medonha que os envolveu quando estavam no negreiro:

"Um escravo não pode sonhar. Um escravo pode apenas revoltar-se!"

II

A encadernação em couro do livrinho estava pronta e Luís Sanin ocupava-se agora em confeccionar o colar que permitiria ao seu possuidor pendurá-lo no pescoço. Quem assim o fizesse estaria protegido por Alá, pois o patuá continha as orações do livro sagrado, palavras incompreensíveis para quem não soubesse ler aquela grafia, mas amuleto poderoso para aqueles que acreditavam nas palavras do Profeta. O patuá seria entregue a Pacífico Licutan no momento em que os negros tomassem a cadeia municipal para libertá-lo, pois assim ele estaria com o corpo fechado, protegido pela força da palavra de Alá.

Luiza achava arriscado atacar a cadeia municipal para libertar Bilāl, como era conhecido o limano da Bahia; preferia comprar sua alforria. Para isso, Sanin havia colocado à disposição dela o dinheiro arrecadado por ele, e não era pouco, pois cada negro, malê ou simpatizante, que pataca houvesse arrecadado no "ganho", contribuía para financiar a rebelião.

A Princesa tinha suas razões, os homens ainda não estavam preparados para a revolta e não havia recursos para comprar as armas indispensáveis ao ataque. Era melhor esperar, avançar na organização e levar o movimento aos demais negros, pois os malês eram poucos, guerreiros dispostos a morrer, mas incapazes de enfrentar as forças policiais mais numerosas, armadas e organizadas.

Sanin dispôs-se a seguir as ideias da Princesa, mas a prisão de Licutan, o ímã que a todos unia, o enviado do Profeta, enfraquecia o movimento e punha a nu a fraqueza de quem não era capaz sequer de proteger seu líder. O dinheiro era a razão do encarceramento, dizia seu senhor, afirmando que ele havia sido confiscado para ser levado a leilão, de modo a pagar as dívidas dos credores. Sanin nunca acreditou inteiramente nisso. O comerciante Antônio Varella não era homem de ver seus bens confiscados sem luta. Aquilo mais parecia um acordo com o Martins, que, ciente da ascendência de Licutan entre os negros, não queria causar maior consternação com sua prisão, nem dar motivo de rebuliço nas senzalas, por isso aquela história de leilão para pagar dívidas.

Penhora exigida pelos carmelitas não era uma desculpa plausível, pensava Sanin, afinal, um homem com a natureza do Varella, que tratava os escravos como animais, não iria baixar a cabeça para um bando de padres. Ele adivinhava ali uma tramoia para encarcerar Licutan sem gerar grande insatisfação entre os negros malês. Tanto era assim, que o comerciante, tão cioso das suas propriedades, nem sequer havia providenciado a defesa com as autoridades, abandonando o escravo. Apesar das expectativas de Luiza, ele tinha certeza de que o juiz não permitiria o arremate de Licutan, ainda que muito dinheiro fosse empenhado. Afinal, outras vezes já lhe haviam oferecido alta soma e ele, mesmo endividado, recusara-se a dar-lhe o forro.

Concordava com Luiza e sabia da necessidade de mais tempo para preparar a revolta e admitia que a presença de Licutan à frente dos revoltosos seria como uma sura a conclamar os fiéis à luta, mas sabia que sua libertação não viria por meio do ouro e da vontade dos escravos: teria que abrir à força as portas do cativeiro. Aos poucos, a própria Luiza percebeu que a prisão de Licutan não estava relacionada a dinheiro e identificou uma ação orquestrada no sentido de prender os líderes malês.

Pensava em tudo isso, enquanto seguia rumo à cadeia municipal para ver o amigo, levando nas mãos o efó e o inhame que fortaleceriam seu corpo e lhe dariam ânimo, pois seu espírito estava sempre protegido por Alá. Sanin era um intelectual, um homem de letras, e o cativeiro não lhe fora insuportável por causa dos livros lidos durante noites a fio quando havia luz e pelas palavras de Bilāl, seu amigo, que o consolava no desespero. Ele era a sua valia, e deixava-se chamar Pacífico, mas jamais o fora, pois, limano a serviço do Islã, tomava o nome que lhe aprouvesse e, embora trancado na cadeia, ainda liderava os negros malês sem contestação.

Sob as ordens de Licutan, Sanin trabalhava no cais Dourado e à noite, no quarto alugado na Rua das Laranjeiras, reunia os negros para ensinar-lhes o Alcorão, falar da terra a ser conquistada e da revolta que um dia tomaria as ruas da cidade, e dar por escrito as orações do Profeta aos negros amontoados na porta do seu quarto para pedir sua bênção. Naquele quarto muitas vezes Alá foi reverenciado com o sacrifício dos carneiros e a leitura solene das suras corânicas.

Ao chegar à cadeia municipal, o escravo agradeceu a Alá por ter Licutan como líder, e viu postados diante das grades os negros em vigília, todos à espera de vê-lo para tomar sua bênção quando ele assomasse ao pátio de visitas e então eles beijariam sua mão e ajoelhariam a seus pés pedindo proteção contra o chicote dos senhores e paciência para aguentar o mau cativeiro. As autoridades permitiam a visita dos negros, pretextando estar o cativo apenas em depósito até o momento do leilão, pois o chefe de polícia era um homem astuto o bastante para tolher os movimentos do líder malê, sem proibir os fiéis de vê-lo.

A Sanin era permitido visitá-lo uma vez por semana, e isso era uma dádiva para ambos. Agora mesmo, ao sentar-se em frente ao mestre e lhe oferecer o quitute preparado com carinho, sentiu o quanto aquela visita o fortalecia. Embora preso, a audácia e a coragem mantinham-se nos olhos de Licutan, e cada colherada no efó parecia fortalecer sua determinação e realçar o rosto duro daquele homem prestes a tornar-se um ancião. Sem parar de comer, ele disse, encarando o amigo com seus olhos baços:

— A revolta virá mais depressa do que pensávamos, Sanin. Luiza esteve aqui e o dia está marcado.

Surpreso, Sanin espantou-se com a notícia.

— Mas ela dizia que o povo ainda não estava pronto, e que era preciso arregimentar um maior número de escravos.

— Sim — concordou Licutan —, mas a repressão da polícia ao Lailat Al-Miraj que resultou na morte de Diogo, e a prisão de Ahuna a fizeram mudar de ideia. Desde então, ela reúne os homens na quitanda todas as noites e acha que os terá em número de mil, o suficiente para tomar a cidade das mãos dos brancos. Mas ela precisa de você.

Luís Sanin estava agradavelmente surpreendido, para ele a rebelião estava madura e nada mais os impedia de pôr no chão o grilhão que os aprisionava, por isso respondeu com entusiasmo.

— Meu mestre Licutan, a Princesa e todos os malês sabem que podem contar comigo. Que deseja ela?

— Dinheiro, o pai de todos os desejos. Você administra o fundo que criamos para dar sustentação à revolta e agora precisamos dele para comprar armas e subornar os capatazes do engenho Santo Amaro, para assim permitir que Ahuna e seus homens fujam.

Sanin mostrou-se preocupado, mas não perdeu o entusiasmo:

— Não temos muito dinheiro, mas podemos conseguir mais com Dandará. Todos aqueles que saírem às ruas terão a sua parnaíba, os amuletos e a roupa branca que os distinguirá aos olhos de Alá, permitindo-Lhe desviar as balas e protegê-los.

— É pouco, Sanin, precisamos de armas de fogo, é com elas que seremos recebidos — objetou Licutan, preocupado.

— Espingardas e revólveres são armas dos brancos. Os negros estão acostumados a lutar com lanças e facões, assim faziam na África, assim será feito aqui.

Mais uma vez Licutan contestou:

— Sem armas seremos alvos fáceis, e os negros se amofinarão diante delas.

— Não, eles estão convencidos de que Alá os protege, e assim é. Cada homem levará consigo um patuá e estão persuadidos que, carregando a palavra escrita no peito, as espingardas, em vez de fogo, despejarão água.

Licutan sorriu e um ricto de preocupação marcou a expressão do seu rosto. Sabia que sem armas seria mais difícil a Alá protegê-los, por isso insistiu:

— Mas sabemos que não é assim, Sanin. Precisamos armá-los. É preciso comprar as armas de fogo, para que em cada grupo de negros espalhados pela cidade, pelo menos um tenha uma espingarda ou um revólver à mão.

— Essa é uma empreitada difícil, meu mestre — reiterou Sanin —, ninguém na cidade da Bahia se dispõe a vender armas aos escravos e, quando o fazem, o preço é exorbitante. É preciso buscá-las no Recôncavo e ainda assim não será fácil consegui-las. Mas verei o que posso fazer.

O limano deu-se por satisfeito e passou-lhe as últimas instruções:

— Está bem, continue comprando quanto mais armas puder e avise aos chefes que Luiza os reunirá na hora certa para discutir o plano e definir a estratégia com a qual, em nome de Alá, tomaremos a cidade da Bahia e libertaremos todos os escravos.

III

A revolta vinha sendo gestada cuidadosamente e, até então, não havia pressa na sua concretização, pois era preciso conscientizar os negros da cidade e aliciá-los, usando para isso a fé muçulmana e a força do carisma de Luiza. Contudo, se o encarceramento de Licutan e a morte de Diogo mostravam que era preciso agir imediatamente, a prisão de Ahuna foi a fagulha que ao tocar a piaçava da senzala incendiou o céu.

Acusado de roubar alimentos para distribuir entre os quilombos do Recôncavo, Ahuna foi preso ao chegar à casa da Rua das Flores, próximo ao Pelourinho, vindo do engenho Santo Amaro para resolver os negócios do seu Senhor. Fosse outro o momento, Ahuna talvez tivesse resistido à prisão. No entanto, a revolta povoava seus pensamentos e sobrepujou seu orgulho e a vergonha de saber que seria levado algemado pelas ruas da cidade até o porto, para ser embarcado de volta ao Recôncavo sob custódia do capataz, para sofrer nova punição.

Mas o orgulho de Ahuna tinha guardião. Ao saber da sua prisão, Luiza deixou a quitanda para arregimentar os negros na cidade e, ao deixar o Gravatá, mais de uma dezena deles a seguia. Outros tantos juntaram-se a ela na Ladeira da Conceição e no Pelourinho e foram ter à Rua das Flores. Num instante, em frente à casa do senhor de engenho no Santo Antônio Além do Carmo, quase uma centena de negros postaram-se de pé, silenciosos, mas determinados, e na frente deles, vestida de branco, altiva e orgulhosa, estava Luiza. A capatazia tentou dispersar os negros, intimidando-os com os bacamartes e o chicote, mas por maiores que fossem as ameaças, e por mais que se debochasse da negra de peitos duros que parecia liderá-los, eles não se moviam, permaneciam silenciosos sem dizer a razão por estarem ali.

O dono de Ahuna era um homem prático e sabia não dispor de capangas em número suficiente para enfrentar a pequena multidão de negros que havia se formado em frente à sua casa, por isso enviou de imediato um mensageiro para pedir ajuda ao chefe de polícia, solicitando o envio de um troço de soldados a fim de dispersá-la. Mas logo percebeu que os negros não portavam armas, nem demonstravam intenção de ataque à sua casa. Ele, por seu turno, não estava disposto a meter-se em querelas matando negros cujos proprietários desconhecia, por isso, preferiu ignorá-los, sem, no entanto, retroceder da decisão de levar Ahuna preso de volta ao engenho Santo Amaro, onde seria castigado. E para mostrar àqueles negros ousados que na Bahia o chicote subjugava qualquer liderança espúria, resolveu dar-lhes uma lição. No intuito de desmoralizar seu escravo, suposto líder de uma revolta de negros, instruiu os capatazes para que ele fosse levado ao saveiro nu, com as mãos algemadas, e puxado por todo o caminho pelo garrote de ferro para assim humilhá-lo e caracterizar sua condição de negro fugido.

Mas, para sua surpresa, quando Ahuna apareceu à porta da casa, nu e com a argola de ferro no pescoço, os negros o aclamaram como se um rei tivesse aparecido. Os capatazes não se intimidaram e empurrando-o, fizeram-no seguir em frente, instigando-o com o chicote; então, os negros, embalados pela voz de Luiza, que se pôs a entoar uma canção tribal, puseram-se a segui-los, e cada chicotada que ele recebia tornava-o mais altivo e orgulhoso por ver atrás de si uma pequena multidão entoando em sua homenagem o canto que suavizara sua dor no maldito tumbeiro que o trouxe da África.

E quem, nesse dia, passou pelo Pelourinho ou naquele momento embarcava num saveiro no Cais Dourado, espantou-se ao ver um negro fujão arrastado pelas ruas à base do chicote, sendo acompanhado por um cortejo de homens e mulheres negras cantando em sua homenagem. Quando o troço de polícia chegou, Ahuna já estava no saveiro singrando o mar da baía de Todos-os-Santos em direção ao Recôncavo, e os negros já haviam se dispersado lentamente entoando um hino, como se aquele fosse um dia de oração.

IV

Com Licutan preso na cadeia municipal e Ahuna detido no engenho, Luiza, cuja dor pela morte de Diogo não desprendia do seu corpo, decidiu torná-la a insígnia que faria desencadear a revolta.

Luiza não cria em coincidências, por isso fez uma ligação lógica entre a morte de Diogo e a prisão de Ahuna e percebeu que a organização do levante estava sendo desbaratada e seus líderes presos ou mortos. Se não agisse rápido, outros líderes seriam perseguidos e encarcerados, pois Dandará, embora liberto, já fora detido para averiguações. Sule também temia por sua vida cada vez que tomava um saveiro em direção ao Recôncavo.

A Princesa compreendeu então que a hora da revolta havia chegado, tornando-se necessário escolher o dia no qual se poria em prática o plano que tantas vezes havia discutido com Ahuna, Licutan e Sanin. As lojas espalhadas pela cidade estavam prontas e, sob o manto do ensinamento islâmico, disseminaram por toda a parte que o tempo da guerra havia chegado. Os conspiradores haviam cumprido seu papel, conscientizando os negros, que esperavam apenas a ordem para acender o pavio e detonar a rebelião. Além disso, Aprígio e os carregadores de cadeirinhas foram incansáveis no objetivo proposto e haviam feito um trabalho minucioso de convencimento e arregimentação de negros. Valendo-se daquele ofício que, mais que qualquer outro, os humilhava e ofendia, fazendo-os semelhantes a burros de carga a serviço dos poderosos, eles palmilharam cada ponto da cidade, enlaçando os interesses das diversas lojas, levando mensagens, articulando ações e catequizando os negros para juntarem-se ao exército que tomaria a cidade.

O raio de ação da revolta não estaria restrito à cidade, e o trabalho de arregimentação realizado por Sule, Dandará e Manuel Calafate, articulando os engenhos do interior e escolhendo líderes que em toda a região mobilizavam os negros, garantia que os escravos do Recôncavo marchariam em bloco em direção à cidade da Bahia. Para isso fora montada uma logística especial, e cada líder de engenho se preparava para reunir os negros que, por mar ou por terra, estariam presentes no dia que a Alá ou a Oxalá fosse servido.

Os líderes da rebelião organizaram núcleos em cada freguesia, de modo que em toda parte, fosse na Sé, ou na Vitória, no Carmo ou em Itapagipe e mesmo nos arrabaldes em Pirajá ou no Matoim, havia homens prontos para se juntar aos revoltosos. Durante noites a fio, Luiza e os líderes malês discutiram cada passo do plano de ataque e avaliaram a melhor forma de pô-lo em prática, de tal modo que, pouco depois de Ahuna ter sido arrestado, os mapas e os caminhos da revolta já estavam definidos. Faltava apenas escolher o dia propício para o levante, e a invasão da mesquita da Vitória foi como um sinal de Alá avisando que era chegada a hora do confronto.

Daí em diante, Luiza passou a reunir na quitanda do Gravatá todos os chefes de todas as lojas da cidade, e com eles armou a estratégia final do maciço ataque que seria desfechado contra os brancos e cujo desfecho seria o fim da escravidão.

O plano consistia num ataque em cinco frentes ao romper da alvorada do dia 25 de janeiro, dia da festa de Nossa Senhora da Guia. A data havia sido escolhida por ela e Licutan e era simbólica para os malês, que nela celebravam o fim do Ramadã, cujo banquete de honra, o Lailat al Qadr, seria celebrado em cada loja malê, para assim, em paz com Alá, tivessem dele sua proteção. É no Lailat al Qadr que se traça o destino da humanidade, por isso essa seria a Noite do Destino, aquela na qual, aproximando-se de Alá, os negros da Bahia se assenhoreariam de sua liberdade. E seria uma noite de festa, mas só até o romper do dia.

Luiza gostou do dia escolhido, que trazia nele não apenas a fé dos malês, mas também dos demais negros, pois muitos deles já identificavam o senhor do Bonfim com Oxalá e era na sua igreja que se venerava Nossa Senhora da Guia. Ela estava preocupada, todavia, com a estratégia de ação e a repassou dezenas de vezes, nas reuniões noturnas na quitanda do Gravatá. O plano previa reunir nas cinco lojas estratégicas os negros revoltosos e daí saírem armados e uniformizados ao romper do dia, exatamente no momento em que os escravos andavam pelas ruas carregando água das fontes públicas para os seus senhores. Cada grupo de negros seria responsável por uma freguesia, de modo a que em cada canto se juntasse homens para a revolta. Os negros estariam todos vestidos de branco, para assim ter a proteção de Alá e de Oxalá, a maioria com o camisolão malê por sobre as calças folgadas e apertadas na cintura por cintos brancos de algodão e na cabeça usariam barretes com as cores branca e azul.

Os uniformes já estavam sendo confeccionados havia meses pelas escravas costureiras que davam um tempo no "ganho" para produzir o uniforme da libertação, feito com os tecidos comprados pelo dinheiro amealhado por Sanin entre os escravos e libertos simpatizantes.

Guerreiros não precisam de uniformes, diziam muitos africanos acostumados a lutar de peito nu em suas tribos, mas Luiza os fazia ver que aquilo era um símbolo, uma insígnia a designar a união e a disciplina e mostrar aos brancos que eles estavam organizados e prontos para a luta. Além do mais, o branco os unia em Alá e Oxalá fazendo-o um só povo, o povo da liberdade.

Com o dinheiro acumulado por Sanin foi possível comprar um bom provimento de armas e munições e, embora houvesse poucos bacamartes e garruchas, eram muitas as parnaíbas e os sabres que alguns preferiam empunhar. Tanto Luiza quanto Ahuna sabiam estar ali o ponto fraco do movimento, pois com poucas armas de fogo, teriam de enfrentar batalhões bem armados e artilheiros entrincheirados nos fortes que defendiam a cidade, mas ambos contavam com a surpresa do ataque para deixar atônitos os inimigos, espantados com a coragem dos guerreiros, curtida nas lutas tribais e no ódio à escravidão. Contavam com a proteção de Alá e de todos os deuses, pois não podia ser deus a divindade que não se aliasse à causa da liberdade.

Armado e uniformizado, cada grupo sairia à rua incendiando os prédios do governo e os quartéis, para assim fazer com que a tropa se desentrincheirasse e viesse às ruas para o combate frontal, onde seria mais fácil desarmá-los.

A casa de Manuel Calafate, na Ladeira da Praça, seria o ponto central da revolta, pois ficava a um tiro de pistola do Palácio de Governo e a um tiro de espingarda dos batalhões de terceira linha dos soldados entrincheirados. Cerca de 150 homens se reuniriam na casa de Calafate onde encontrariam Luiza e Ahuna e daí dariam início à revolta.

No mesmo momento, negros encastelados na Rua das Laranjeiras, na Rua da Oração, no Convento das Mercês e no arrabalde da Vitória também sairiam em grupo com seus objetivos definidos e sabendo que se uniriam todos na Freguesia do Bonfim, e, se fosse necessário, seguiriam em bloco para o Cabrito e, dali para o Recôncavo.

Na véspera da revolta, Ahuna seria libertado pelos negros do engenho Santo Amaro e das redondezas e chegaria do Recôncavo com seus homens para encontrar-se com os líderes intocados na casa de Calafate e então, de madrugada, marchariam em direção ao Paço Municipal onde estava a cadeia pública para libertar o limano Licutan, trazendo-o para liderar a batalha, enquanto um grupo maior atacaria o quartel de São Bento. Depois, encontrariam o grupo mais numeroso vindo da Vitória. E por onde passassem deveriam incendiar e saquear os quartéis e guarnições, preservando as casas de família.

Unidos, tomariam o Forte de São Pedro, ao tempo em que o grupo vindo de Nazaré e do Pilar apossar-se-ia do quartel da Mouraria. Grupos armados manteriam cada uma dessas posições conquistadas, enquanto o grosso do exército de negros se encontraria na Conceição da Praia onde se reuniriam ao grupo chegado do Recôncavo, e que já deveria estar atacando toda a região do cais. Ali, então fortalecidos, avançariam sobre o quartel da cavalaria em Água de Meninos, o mais bem armado e com maior número de homens. Seria no maior obstáculo, a passagem para o Bonfim, onde se daria a união com os grupos do Cabrito, de Itapagipe e de outras partes do Recôncavo. Ali já teriam reunidos pelo menos dois mil homens, e tomariam a cidade de assalto, prendendo os militares e os senhores de engenho e criando um reino livre que teria Luiza Princesa como rainha.

A REVOLTA

I

A luz do ciúme não mais se apagou em Sabina, desde o momento em que ela flagrou seu marido na cama com Luiza. Agora, ela vigiava cada passo de Sule, e mesmo quando ele descia ao mercado para mascatear, ela sempre estava por perto a perguntar por ele, a inquirir o que estava fazendo. Sabina era uma mulher comandada pelos olhos, e enquanto eles não vislumbraram o que ela não queria enxergar a vida de Sule foi boa. Isso se via na comida bem-feita que o esperava à noite, na roupa limpa com que saía pela manhã e no aconchego que ela lhe dava na cama, mesmo quando ele parecia desinteressado. Mas quando seus olhos confirmaram a traição, não com qualquer negrinha do cais, mas com Luiza, a princesa fajuta, que tudo lhe havia tirado e agora tirava seu homem, Sabina exasperou-se e perdeu o respeito pelo marido, passando a destratá-lo em toda a parte, mesmo em frente aos companheiros. Deixou de cozinhar para casa e de lavar a roupa e até de pregar nas esquinas o Evangelho, talvez por estar ele repleto de parábolas ensinando a perdoar as ofensas.

Sabina não queria perdoar, no claro-escuro que se transformara sua vida, o ciúme era alvo e nítido no seu rosto, o que não se podia ver, mas estava lá escondido nas sombras, era o desejo de vingança inchando em seu peito e tomando-a por inteiro. As mulheres que, como ela, amam muito e se acham donas daquilo que amam, só são capazes de perdoar se pagarem com mesma moeda a ofensa recebida. Desde que surpreendera seu homem na cama com outra, Sabina livrou-se de todo pudor exigido pela beatice e pôs-se a coquetear com todo e qualquer um, bastando Sule estar por perto. Mas ele, inteiramente dedicado à tarefa de preparar a rebelião, não prestava atenção aos jogos de Sabina, mais preocupado em seguir os caminhos que o levavam a Luiza.

Apesar do assédio da mulher, Sule passava pouco tempo em casa, despistava-a com facilidade e, sob pretexto de comprar mercadorias, estava sempre de passagem vindo ou voltando dos engenhos do Recôncavo. No sábado, véspera da festa de Nossa Senhora da Guia, quando voltou para casa de madrugada, satisfeito por saber que os negros rebelados já se dirigiam à cidade da Bahia para libertá-la, estranhou ao ver acesa a luz de sua casa quando o sol em breve a tornaria desnecessária.

Preocupado, pensando tratar-se de alguma coisa relacionada com a rebelião, coseu-se às paredes e entrou em casa com os pés quase flutuando sobre o assoalho. Mas a mão, sempre agarrada ao cabo da parnaíba, soltou-o de repente quando ele percebeu os sons estranhos vindos do seu quarto, compondo a sonoplastia de uma cena inesperada, e compreendeu que eles não tinham a ver com violência ou morte, mas com sexo. Abriu a porta de supetão e deparou-se com Sabina nua, ambas as mãos agarradas na cabeceira da cama e as pernas abertas, bem abertas, abrigando a cabeça do negro Fortunato, seu melhor amigo, marido de Guilhermina, sua comadre. Sabina sorria, olhando para ele como se o esperasse, com um ar de quem gozava deliciosamente, mas seu gozo não parecia vir da língua de Fortunato que, desvairada, lambia sua buceta, e sim da careta de espanto e de ódio estampada na cara de Sule.

Ao sentir uma presença no quarto, Fortunato abandonou o ventre de Sabina e voltou-se de supetão, surpreso em ver o amigo já com a parnaíba na mão, pronto para golpeá-lo. Num movimento rápido, alcançou a bainha de sua faca que descansava na cômoda ao lado da cama, pondo-se também em posição de ataque. Os homens se entreolharam, mas antes que suas armas se tocassem, Sabina ordenou num tom imperativo:

— Vai embora, Domingos, que você já não tem o que fazer aqui!

Sule não deu atenção à mulher e, com a faca na mão, inquiriu o amigo com raiva:

— Então é essa amizade que você tem por mim. Esse é o verdadeiro amigo, aquele que come minha mulher enquanto eu arrisco a vida para libertá-lo.

Disse isso e avançou em direção a Fortunato, que retrucou, meio apavorado.

— Sou seu amigo, Vitório, e se estou aqui foi porque Sabina me seduziu e acho que o fez não por mim, mas por você. Ela se vinga de você, seu idiota. Faz isso por vingança por tê-lo visto na cama com a Princesa.

Sabina deu uma gargalhada, e quando voltou a falar o facão na mão de Sule já mirava o chão.

— Vitório, seu canalha, ele tem razão. Pouco se me dá que a língua babona do seu amigo tenha lambido minha buceta, não quero dele nenhum prazer a não ser o de lhe humilhar, para que lhe sirva de lição e nunca mais você deite os olhos naquela puta que quis tirar de mim a precedência no desejo dos homens e teve a petulância de deitar com o meu.

Vitório já era um homem vencido pela vergonha, e as palavras de Sabina só fizeram admoestar ainda mais seu espírito. Mas aquela honra já não mais seria lavada com sangue e, se ele já não queria resgatar a fidelidade da mulher, ainda tentava entender a traição do amigo.

— Enquanto eu reúno o povo para libertá-lo, você me põe cornos em minha própria casa. Que tipo de homem é você?

Pela primeira vez, Domingos Fortunato perdeu o controle e, quase gritando, repeliu a revolta que Sule pensava estar fazendo para todos os negros.

— Não quero essa revolta, Sule, e já lhe disse isso um milhão de vezes. Essa revolta que só vai resultar em morte e chibatada não me interessa. Sou liberto, graças à boa vontade do meu senhor e a ele devo obediência. No cais não se fala em outra coisa a não ser nesse levante. Eu mesmo vi os negros chegando nos saveiros hoje à tarde vindos de Santo Amaro e Cachoeira, e eles diziam estar ali para tomarem conta da terra, matando brancos e crioulos. Contei a Guilhermina, mas ela já sabia dos boatos e queria contar tudo ao juiz de paz. Eu a impedi, porque não desejo a alcunha de alcaguete, mas não sei se agi certo. Não quero sua revolta, Sule, quero a vida como ela está, na calma que hoje tenho. E você, se estivesse cuidando de sua mulher, em vez de estar enfeitiçado por essa bruxa que se diz Princesa, não teria cornos na cabeça.

A menção a Luiza fez Sule recobrar a dignidade por um momento perdida e novamente o facão elevou-se em sua mão:

— O nome da nossa rainha não pode estar em sua boca fedida...

Sule avançou em direção a Fortunato, mas Sabina o conteve e mandou o amante embora:

— Vai embora Domingos, o que você tinha de fazer já fez e nem tão bom foi.

Enquanto corria pelo Caminho do Gravatá, Domingos dava razão a Guilhermina e já não tinha dúvidas de que ela deveria ir imediatamente à casa do juiz de paz denunciar a rebelião que iria pôr fogo na cidade da Bahia.

Sabina parecia satisfeita. Sua vingança fora maior do que havia planejado e em volta do acabrunhamento de Sule e nas margens de suas lágrimas ela jogou a rede com a qual pretendia fisgá-lo de volta e agora mais preso ainda ao seu anzol.

— Deixa de choro, Sule, nada disso teria acontecido se eu não lhe tivesse pego comendo aquela puta. Mas agora estamos quites, e esse Fortunato é um bundão meia bomba que tem que usar a língua para dar prazer a uma mulher. Venha para cama comigo e amanhã será outro dia.

Sule levantou-se e encarou a mulher como nunca antes o tinha feito. Seus olhos brilhavam e, naquele momento, o receio que sempre teve dela o abandonou:

— Amanhã será outro dia para os negros da Bahia, mas não para você, que lê pela cartilha dos brancos e venera santos feitos de pau. Não para você, que usa o prazer para dominar, controlar e impor sua vontade. Seu amor é frio, seu sexo existe para acorrentar. Você nunca será como Luiza que se entrega como uma rainha e faz os homens amarem como se fossem crianças.

Sabina não respondeu, mas sua mão desceu forte na cara de Sule, que revidou e bateu-lhe no rosto uma, duas vezes, mas aquela não era mulher de apanhar e ela foi para cima dele com unhas e dentes, derrubando tudo o que via pela frente, sem soltá-lo, cravando as unhas no seu rosto. Vitório Sule desvencilhou-se com dificuldade, correu para a porta e gritou, antes de escafeder-se:

— Amanhã serei um homem livre. Hoje, libertei-me de você.

II

Guilhermina não tinha ciúmes de Fortunato, por isso não deu muita importância ao vê-lo chegar tarde em casa, aborrecido e com cheiro de mulher. Estava acostumada aos rompantes do marido e às suas escapadelas que nunca resultavam em nada, a não ser numa bebedeira que lhe deixava prostrado e mal-humorado. Domingos era um bom homem, mas sua natureza tinha sido domesticada pela escravidão e dela agora fazia apologia, vangloriando-se da alforria conquistada à base da subserviência e da pusilanimidade. Talvez por isso, estivesse sempre a querer mostrar uma virilidade que não tinha e que não era a razão de sua vida. Domingos vivia para o trabalho e para casa. Por isso, Guilhermina fazia pouco-caso das comadres que estavam sempre insinuando ser ele mulherengo e viver cortejando as negrinhas do Caminho do Gravatá.

Não se sabe se a segurança de Guilhermina vinha de sua força ou da fraqueza dele, mas ciente de que se um dia a paixão batesse na porta do seu coração, ele não a deixaria entrar, não se preocupava com as escapadas do marido. Por isso, estava agora na janela apreciando o movimento, como fazia todos os sábados, sem preocupar-se com o sono de bêbado de Domingos, mas atenta ao que ele havia dito no dia anterior sobre a quantidade incomum de negros chegando no cais vindos do Recôncavo e sobre os rumores da rebelião que estouraria no dia de Nossa Senhora da Guia.

Boatos assim Guilhermina ouviu muitos ao longo de sua vida, pois os negros estavam sempre a sonhar com uma liberdade sempre preterida, mas não podia negar que havia naquele momento uma excitação diferente, deixando os negros mais ansiosos e falantes. Por isso, ficou a matutar na janela, vendo o movimento da rua e apurando os ouvidos para as conversas dos negros. Assim ouviu o choramingo da negra Efigênia contando à amiga que seu amante tinha vindo de Santo Amaro para juntar-se aos negros, liderados pelo "Maioral", e dispostos a fazer guerra aos brancos. Efigênia chorava, pois já não era nova e tinha perdido Epifânio, seu marido de papel passado, no ataque que um bando de negros revoltosos fez nas lojas de ferragens da Cidade Baixa em busca de armas, havia uns cinco anos.

Guilhermina ficou preocupada, achava que boato não tem força para fazer mulher chorar pelo seu homem e ficou mais atenta aos comentários. Mais tarde, ouviu um negro nagô convocando outros três a obedecer ao toque de alvorada que seria dado na manhã seguinte, para reunir todos os escravos quando fossem às fontes buscar água para os seus senhores. Guilhermina devia sua alforria à lealdade ao seu ex-senhor e, ainda hoje, vendia-lhe comida e às vezes cozinhava para a sua família. Assustada com o que ouviu, acordou o marido avisando-lhe que iria contar o ocorrido ao patrão. Antes, Fortunato a havia desestimulado a dizer qualquer coisa, supondo não passar de boatos e mexericos próprios de comadres, mas agora estimulou-a a ir, como se estivesse a par de algo novo e temesse pelo que poderia acontecer. Ele próprio estava disposto a denunciar a revolta, se Guilhermina não o fizesse, pois assim se vingaria de Sule, que se fazia de amigo, mas nunca o fora verdadeiramente e estava sempre a rir de sua incapacidade de tratar com as mulheres. Também provaria a Sabina não ser apenas um chupador de buceta, como ela dissera, mas um homem de razão e por isso não se deixava iludir por uma revolta que acabaria em chibatadas, como fazia seu marido Sule.

A Guilhermina pouco se lhe dava os motivos pelos quais Fortunato havia mudado de ideia. Porém, preocupada em perder seus privilégios de liberta e em ser acusada de cumplicidade com a revolta, correu para a casa do seu antigo senhor a fim de alcaguetar seus companheiros.

Francisco de Souza Velho, que morava nas cercanias do Pilar e não era velho apenas no nome, parecia cansado dos avisos recorrentes dando conta de nova revolta de negros prestes a ocorrer a qualquer momento, por isso não deu muita importância à denúncia da negra liberta. Meio aborrecido com o imprevisto, tratou de despachar a ex-escrava:

— Agora todo dia é isso, essa cidade está apavorada com a possibilidade de uma rebelião de negros e é esse pavor que os estimula a um dia pegarem em armas contra nós.

Guilhermina insistiu, contou que seu marido também havia percebido um movimento fora de comum entre os negros no cais e que já havia conspiradores arregimentando negros em plena rua, mas Souza Velho se mostrou descrente:

— Você fez bem em falar comigo. Venha sempre que algo desse tipo lhe parecer estranho. Mas tenho conversado com frequência com o chefe de polícia e o promotor, e eles estão atentos. Estariam de prontidão se os negros estivessem tramando algo. Esta conspiração pode até estar sendo tramada, mas não será para agora. E hoje é o dia do baile no solar do Antônio Vaz, em Nazaré, e lá estarão os figurões da política para homenagear sua esposa que faz anos. Você acha que o chefe de polícia, que estará presente, recomendaria a festa se houvesse perigo de revolta? O Presidente da Província vai estar lá e estaria a par de um movimento desse tipo. A sociedade baiana inteira estará reunida na casa de um dos maiores capitalistas do Império e, se houvesse perigo de rebelião, esse seria o alvo preferido dos revoltosos...

— Não, não creio, o Martins não permitiria isso... — disse, com um ar de quem estava avaliando as possibilidades de alguma coisa ocorrer. Fez uma pausa e concluiu, despedindo a liberta.

— Volte para casa e fique atenta. Não posso resolver isso agora, pois tenho compromisso no arrabalde da Vitória, mas no fim da tarde estarei com o Martins e conversarei com ele sobre o assunto. Agora, se você ouvir mais alguma coisa a respeito, se desconfiar de algo, não espere por mim, vá direto à casa do juiz de paz e dê o alerta.

Guilhermina voltou para casa aliviada, afinal, se eles, os senhores, que tinham tudo a perder, estavam tranquilos, não seria ela que se avexaria. Mas não custava nada trabalhar menos nesse sábado e ficar prestando atenção ao movimento.

Passava das seis quando, voltando para casa, encontrou a amiga Sabina, sentada na calçada de sua casa no Caminho do Gravatá, triste e com os olhos vermelhos de chorar.

— O que houve, Sabina? Por que esse acabrunhamento todo? — perguntou, puxando conversa.

— É o Vitório, ele sumiu de casa. Ontem tivemos uma briga feia e ele saiu num daqueles rompantes ridículos. Ele sempre volta, que não é homem para me deixar. Mas agora está mudado, depois que essa puta da quitanda pôs os olhos nele. E eu mesma, comadre, não sei mais o que faço, estou perdida e tenho feito coisas horríveis, até com você.

— E que o fizeste de mal para mim, Sabina?

— Nada, comadre, nada — desconversou, envergonhada da noite que havia passado com o marido da amiga, mas como ela insistiu, respondeu desanimada:

— É que acho que perdi o pai dos meus filhos para aquela vadia e para uma rebelião na qual ele diz estar metido. Agora mesmo, quando cheguei em casa, encontrei-a toda desarrumada, como se ele estivesse procurando os amuletos daqueles muçulmanos hereges que eu havia jogado fora. Ele pegou as roupas e foi embora, comadre.

— Rebelião? — indagou Guilhermina, interessada. — Ele lhe falou alguma coisa sobre uma revolta de negros?

— Se me falou? Ele está envolvido até o pescoço com esse negócio! Eu tive raiva dele e me vinguei, mas não quero vê-lo morto e acho que essa revolta vai terminar em morte. Não quero perder meu homem, comadre, ajude-me. Vamos procurá-lo comigo? Ele não está na casa da puta do Gravatá, já estive lá. Luís, o filho bastardo da princesa, disse que ela estava muito atarefada e só chegaria no fim da tarde. Sule não estava lá. Por favor, ajude-me a encontrá-lo!

Guilhermina aquiesceu, e juntas foram procurar Sule, perguntando a um e a outro se o tinham visto, inquirindo os carregadores de cadeirinhas e os negros que voltavam do "ganho" até que um deles afirmou tê-lo visto na casa de Manuel Calafate, na Ladeira da Praça.

Ao chegarem na casa, nas proximidades da Igreja de Nossa Senhora de Guadalupe, as duas mulheres estranharam que estivesse fechada tão cedo, pois ainda não passava das oito. Bateram insistentemente até que a negra Edum abriu a porta e inquiriu asperamente:

— Que querem aqui? Quem as mandou vir?

— Ninguém nos mandou vir — retrucou Sabina, no mesmo tom. — Estou à procura do pai dos meus filhos.

— E eu sei lá quem é o pai dos seu filhos? — respondeu com uma gargalhada.

— Sule, Vitório Sule, e eu sei que ele está aí!

Ao ouvir o nome de Sule, o rosto de Edum contraiu-se e sua reação foi retrucar de chofre.

— Não há ninguém aqui, tampouco esse Sule.

— Ele está aí, eu sei, eu sei! — gritou Sabina, prestes a perder o controle.

Guilhermina tentou acalmá-la, e questionou Edum:

— Como não há ninguém? Acaso não estamos ouvido a algazarra e o ruído de pratos e talheres.

Antes de ouvir a resposta de Edum, Sabina empurrou-a tentando entrar à força, mas ela a impediu com determinação e bateu a porta:

— Eu sei quem você é! Eu lhe conheço! — gritou Sabina. — Você é a negra que vive com Luiza, com aquela vadia que tomou meu marido.

A negra Edum não queria confusão e percebeu que naquele momento a argumentação seria melhor que o conflito. Abriu a porta e disse às duas mulheres que havia muitas pessoas na casa e que naquele momento elas estavam jantando. Mas que iria lá dentro ver se Sule estava e se queria vê-la. Ao voltar, Edum disse com autoridade:

— Sim, Vitório Sule está aí dentro com os outros negros, mas ele não quer vê-la. Você só verá seu homem quando os negros da

Bahia se tornarem senhores da terra! — E incontinente, bateu a porta na cara das duas mulheres.

Indignada, Sabina gritou, desafiadora:

— Eles vão se tornar é senhores da surra e não senhores da terra.

III

Após muito espernear, Sabina percebeu que a porta daquela casa não se abriria para ela. Então Guilhermina lhe convenceu de que era preciso denunciar os revoltosos ao juiz de paz da Freguesia da Sé para, assim, evitar a morte e o castigo de muitos negros. Sabina resistiu, não queria ver seu Vitório preso, pretendia apenas tirá-lo dali, livrando-o da companhia dos negros muçulmanos que prefeririam Mafoma ao Cristo, impedindo-o de participar daquela revolta cujo resultado seria muitas chibatadas nas suas costas.

Guilhermina convenceu-a, no entanto, de que o juiz de paz designaria soldados para tirar Sule dali e ele voltaria são e salvo, assim como os outros, desde que não atacassem os que estavam ao lado da lei.

— Os senhores não querem matar os escravos, pois perderiam seu patrimônio. Vão prendê-los e devolvê-los aos seus senhores e os resultados serão as chibatadas nas costas que, afinal, eles merecem para deixar de serem burros e pensar que podem enfrentar as armas de peito aberto — argumentou, com ênfase.

Ao ser informado pelas duas mulheres que negros revoltosos estavam reunidos numa loja da Ladeira da Praça, o juiz de paz correu ao palácio para comunicar o fato ao Presidente da Província e, ao mesmo tempo, avisou ao chefe de polícia. Gonçalves Martins correu à rua e pegou a primeira cadeirinha de arruar disponível, dirigindo-se de imediato à casa do Presidente cujo apelido também era Martins.

Antes, querendo mostrar serviço, passou pelo quartel da Palma e pôs os oficiais de prontidão, para, só então, atiçando os negros carregadores a andar mais rápido, descer pela Rua Nova de São Bento em direção ao Palácio de Governo.

Francisco de Souza Martins, empossado havia apenas um mês como Presidente da Província e, piauiense que era, pouco sabia das coisas da Bahia e deu carta branca ao chefe de polícia, recomendando que protegesse a cidade a qualquer custo, mas não matasse negros demais para não dar prejuízo aos senhores. Preocupado, lembrou também que o comendador Antônio Vaz estava comemorando o aniversário da esposa em Nazaré e talvez fosse melhor avisá-lo para que adiasse o evento. Martins ponderou com convicção:

— Creio que não seria estratégico adiar a festa. Isso seria uma demonstração de fraqueza e mostraria aos negros o nosso temor. Não, Presidente, confie em mim, não vamos tirar o prazer de reunir a sociedade baiana por causa de uns negros safados que serão varridos a tiros das ruas da nossa cidade.

O Presidente da Província tinha confiança no chefe de polícia, mas tratou de lhe amainar a fúria.

— Aja com cautela, Martins. Se for preciso não hesite em fuzilar os cabeças da conspiração, mas lembre-se: esses negros são o patrimônio de muitos dos nossos correligionários e não vale a pena imputar-lhes um grande prejuízo. Quanto à festa do Vaz, acho que você tem razão, mas lembre-se, é preciso dar toda a segurança ao capitalista e a seus convidados.

— Não se preocupe, já mobilizei todos os meus homens e vamos pegá-los de surpresa. Já convoquei os quartéis, e minha intenção é desbaratar esse levante antes que o sol volte a iluminar a cidade para que a população possa ir em paz ao Bonfim.

— Muito bem, assim seja. Eu não irei à casa do Vaz esta noite — disse com um ar amofinado. — Ando meio indisposto e nem sei se irei à igreja amanhã. Tome a frente da coisa e avise ao Ferraz.

— O juiz de paz já deve tê-lo avisado, mas nem seria preciso. Tenho minhas desconfianças em relação a esse promotor, moço muito jovem, dado a aventuras e...

— O que você está querendo insinuar, Martins? — interrompeu o Presidente.

— Aquela negra do Gravatá, o senhor sabe..., aquela que era amante do Albuquerque...

— Aquela da bunda arrebitada, sim, o que é que tem? — perguntou, interessado.

— Acho que o Ferraz está enrabichado por ela e dizem que é ela quem lidera os negros.

— Ora, ora, Martins, bonita daquele jeito, com os peitos pulando fora do vestido e chefiando negros malês... Faça-me uma garapa!

Martins retrucou com um ar de quem estava inteirado de tudo.

— Não é pilhéria, senhor, tenho informações fidedignas. Agora mesmo vou passar na sua quitanda no Gravatá e lhe dar uma prensa.

— Muito bem, faça o que achar melhor, mas termine logo com isso — disse, ansioso por encerrar aquela entrevista.

Martins tomou as rédeas da situação e, ao tempo em que enviava avisos a todos os juízes de paz e inspetores de quarteirão, deu o alerta a todos os quartéis da cidade e dirigiu-se à base naval, para garantir que a fragata estacionada na baía ficasse de prontidão para evitar que os revoltosos invadissem os navios no cais. Pensou então em ir ter com o Ferraz para, juntos, liderarem o contra-ataque à revolta e assumirem a responsabilidade por qualquer perda ou destruição de patrimônio, como recomendou o Presidente. Mas desistiu a meio caminho, pois não tinha confiança naquele almofadinha, lembrando-se de que não raro o surpreendia com comentários favoráveis à libertação dos negros. Não, o melhor era assumir sozinho a liderança no combate aos revoltosos e, assim, mostrar o quanto aquela sociedade precisava dele. Num momento como aquele, muito mais útil do que a racionalidade do Ferraz era o ódio do inspetor Marques que parecia gozar quando torturava um negro.

O problema agora era saber de onde partiria a rebelião para posicionar os homens da melhor maneira possível; por isso, ordenou que fossem montadas patrulhas em torno da região indicada pelas negras alcaguetas e que fossem revistadas todas as casas suspeitas. Enquanto isso, ele iria pessoalmente até a casa de Luiza Princesa, pois estava convencido de que a negra gostosa tinha algo a ver a com a rebelião e, se não a liderava, deveria saber quem o fazia. Apressando os carregadores de cadeirinha de arruar, dirigiu-se ao Gravatá. *Quem sabe não encontro o Ferraz na cama com a gostosa.*

IV

O entardecer dourava as águas da baía de Todos-os-Santos e Luiza, vestida de branco com o camisolão dos negros, estava pronta para ir à casa de Manuel Calafate participar da ceia que encerraria o jejum dos malês e juntar-se àqueles que, de madrugada, estariam nas ruas para libertar o mestre Licutan e pôr fim à escravidão dos negros da Bahia.

Luiza tinha pressa e aborreceu-se quando o moleque que trabalhava com o Ferraz veio lhe entregar uma mensagem do amo. Ela não desejava vê-lo, embora fosse grande a saudade de sua fala suave e de suas mãos macias, nada mais havia a tratar com ele. Sabia que em breve estariam em lados opostos numa luta de vida ou morte.

Além disso, já não lhe tinha confiança e, apesar de suas negativas, não podia crer que o promotor público da cidade não tivesse sido comunicado sobre a operação que pôs abaixo a mesquita da Vitória, embora a truculência da ação parecesse mais coisa do Martins.

Talvez ele estivesse dizendo a verdade, afinal era jovem, tinha a ingenuidade dos que acreditam muito em si mesmos, e não percebeu o que se tramava à sua volta. Ele parecia diferente da maioria dos homens e, apesar de dotado da enorme vaidade de todos eles, tinha uma forma distinta de tratar as mulheres, uma maneira gentil de falar, mesmo com ela, uma ex escrava, e uma voz pausada que quase nunca se elevava, até quando ofendido.

Lembrou da última vez que estiveram juntos, da gentileza com que a tratou, das suas mãos macias, mãos de moça, que tocavam seu corpo suavemente, fazendo-a arrepiar de desejo. O bilhete a fez rir ao pensar que, fosse outro o momento, iria à sua casa sem precisar de recado. Mas naquele momento era outro o seu objetivo e a razão recomendava saber do que se tratava, embora imaginasse que ele a chamava para tentar convencê-la a viver com ele, como já lhe propusera outras vezes.

Por um momento desejou vê-lo, apenas para isso, para se amarem. Contudo, a força da guerreira espantou o desejo, afinal não podia amar seu provável inimigo, e abriu a carta para certificar-se de que ele buscava o amor, enquanto ela desejava a guerra. No entanto, o recado do promotor a surpreendeu, pois ele insinuava saber alguma coisa a respeito da rebelião dos negros e, por esse motivo, pedia que fosse vê-lo.

A princesa vacilou, afinal se ele estivesse a par de alguma coisa poderia pôr em risco o sucesso do plano já em andamento. Isso a obrigava a ir vê-lo, para saber até que ponto ele estava inteirado da revolta e para avisar aos negros, que a essa altura já deveriam estar reunidos na loja da Ladeira de Praça.

De repente, um rasgo de desconfiança passou por sua mente, e pensou que o recado poderia ser uma armadilha, um artifício para atraí-la e depois arrestá-la deixando os negros sem sua rainha. Entretanto, espantou o receio; o promotor não seria capaz de urdir tal plano, ele parecia amá-la verdadeiramente e lhe propusera fugir para longe para se amarem sem que nem Deus, nem os homens soubessem onde se escondiam. Ela sabia que na batalha que estava por vir, Ferraz ficaria ao lado dos seus iguais, pois isso era concernente com o ambiente em que fora criado, mas ela o tinha por um homem de caráter e não seria capaz de traí-la. Era imprescindível ir ao seu encontro, embora retardasse o jantar que celebraria a Noite do Destino e antecederia a rebelião.

Releu o bilhete e convenceu-se de que, mesmo estando a par da revolta, ele desejava vê-la apenas no intuito de dissuadi-la em participar dela. Nada no mundo, porém, seria capaz de demovê-la do intento de libertar os negros da Bahia. Resolveu ir à casa do promotor apenas para ter a convicção de que suas informações não poriam em risco a revolta que já fora desencadeada, embora também — e não podia mentir a si mesma — ia para vê-lo uma última vez, pois a morte poderia estar espreitando nas esquinas da cidade.

Ao chegar à Rua da Faísca, onde Ferraz vivia num sobrado de muitas janelas, Luiza pensou que, se quisesse, poderia morar naquela casa. Tantas vezes ele lhe propusera tal destino e isso a fez sentir um aperto no peito, uma pequena agonia de duas cabeças, uma delas acenando com um futuro de paz naquela casa imensa e, outra, com a perspectiva de guerra que a aguardava na loja da Ladeira da Praça. Viu-se vivendo no sobrado com aquele homem calmo e de voz mansa, sábio na arte de amar uma mulher e capaz de possuí-la sem vangloriar-se pela posse. Por um momento passou por sua cabeça que a liberdade não valia tanto sangue a ser derramado, mas a lembrança de sua origem, do sangue real a correr em suas veias espantou aquela ideia e o dístico gravado no seu coração e dado pela realeza da sua tribo africana impôs-se. Ela então o pronunciou em voz baixa, como se estivesse orando: *todo o sangue derramado será pouco se for para tornar o homem livre.*

Ferraz a recebeu na varanda do sobrado e a conduziu para a biblioteca onde passava a maior parte do seu tempo livre. A seriedade dele contrastava com sua natureza sempre afável e risonha, e ela desconfiou que ele sabia de tudo. Com um ar de tristeza, a beijou suavemente nos lábios e disse:

— Temo por você, minha Princesa. O Martins já sabe da revolta e vai reprimi-la de forma violenta. Desconfia de você e já foi até a sua casa. Está reunindo a tropa para vasculhar toda a cidade em busca dos revoltosos e não haverá perdão para quem se envolver nisso.

— Que rebelião? Não sei de rebelião nenhuma — retrucou Luiza, fazendo-se de desentendida.

— A revolta dos negros malês, Luiza. Duas negras do Gravatá denunciaram que há escravos reunidos esperando a madrugada para atacar a cidade.

Luiza percebeu que era inútil continuar negando e pôs sua raiva para fora:

— E quem são as putas que denunciaram seus irmãos?

— Sabina e a negra Guilhermina deram com a língua nos dentes e em breve haverá soldados por toda parte em busca dos negros.

— Sabina, eu sempre soube que se houvesse um traidor seria ela. Aquela que se veste de santa é a maior das putas e traiu o próprio marido. — Irritada, encarou o promotor e continuou: — E você, o que quer comigo? Vai prender-me? Ou acredita que também sou uma alcaguete?

— Estou do seu lado, Princesa — respondeu Ferraz, com a voz suave —, e do seu lado ficarei, pois a amo mais que qualquer coisa.

— De que adianta seu amor agora? Com sua toga de promotor vai condenar a mim e a aqueles que eu amo — replicou Luiza, sabendo que a traição de Sabina poria em risco todos os negros.

— Por você abandonarei a toga. Eu a amo, Luiza, como nunca amei nada ou ninguém em minha vida. Mal coloco a cabeça no travesseiro e seu rosto está comigo; e no fórum, em meio ao mais acirrado debate, é você que vejo na assistência; e, nas festas, danço com as brancas, mas meus braços pensam estar enlaçando você. Por isso lhe chamei aqui, porque a amo e quero que fuja comigo para bem longe. Abandone essa revolta que em nada resultará e venha ser feliz comigo — disse Ferraz, enfático. E sua sinceridade era tanta, que mesmo seu mais ferrenho acusador acreditaria nele.

Luiza percebeu a verdade minando das suas palavras e, talvez, se fosse apenas mulher, aceitasse o aceno de paz que ele lhe fazia. Entretanto, ela era uma rainha, não podia atender ao seu desejo egoísta de ser feliz. Estava e sempre estaria com seu povo, sem jamais arredar do desejo de torná-lo livre. Mas a proposta sincera lhe enterneceu e respondeu com carinho:

— Não posso ir com você. Talvez o ame, pois penso em você todo o tempo, mas, embora a guerra não esteja em mim, ela é maior do que eu, pois é uma guerra santa. Não como querem os filhos do Profeta, uma guerra para que todos tenham um mesmo deus, pois eu prefiro que haja muitos, mas porque a luta contra a escravidão é a mãe de todas as lutas. Sou um instrumento do meu povo e irei ter com eles.

Ferraz compreendeu a força que havia naquele desiderato e tentou negociar:

— Espere, Luiza, busquemos um acordo. Leve uma mensagem aos negros. Que se rendam e lhes ofereço uma rendição digna, a rendição dos guerreiros, e eu usarei todo o meu poder para salvá-los. Haverá punição e não será leve, mas serão respeitados e eu lhes garantirei a vida. Intermediarei a negociação diretamente com o Presidente da Província, que tem mais apreço por mim do que pelo Martins, e ele me ouvirá. Fique, minha princesa, faça o que lhe proponho e eu a protegerei e a todos aqueles por quem você interceder.

— Se o fizesse, estaria protegendo minha covardia e isso eu não poderia admitir. Os negros valorosos que vão lutar contra a escravidão jamais aceitariam a rendição, a morte lhes seria mais leve, aliás, para eles, pior que a morte, seria saber que sua rainha bandeou-se, não para esta ou aquela tribo, nem para uma religião ou outra, pois sabem que creio em todas elas, mas para o lado dos tiranos. Eu jamais trairia o povo negro da Bahia e sua gloriosa descendência. Os negros irão às ruas nesta que é a Noite do Destino e nada poderá deter a luta pela liberdade.

Naquele momento Ferraz percebeu que nada do que dissesse a demoveria do seu desígnio, e foi com tristeza e com medo de perdê-la que se pôs a seu serviço:

— Como posso ajudá-la? Diga-me e farei o que me ordenar.

E ela lhe pediu o que jamais pensou que pediria:

— Meu filho. Quero que o proteja esta noite e, caso eu não esteja aqui amanhã, que não deixe a vingança dos brancos cair sobre o meu pequeno Luís. Proteja-o, se nesta noite eu não mais vir o sol que virá rendê-la e não permita que se vinguem de mim por intermédio dele.

— Isso eu prometo, Princesa. Esta noite será perigosa para ele, o Martins pode utilizá-lo para atrair você. Faça com que o tragam à minha casa, ainda agora. Eu não sairei esta noite e aqui, em minha casa, ele estará protegido.

— Não sei se confio em você mas, apesar de todas as minhas dúvidas, acho que meu filho estará mais seguro aqui do que na quitanda, pois todos já sabem ser lá o quartel dos malês. Emerenciana o trará aqui logo mais, ficará com ele e amanhã o levará para o Recôncavo. Promete-me que velará por meu filho se para mim não houver sol após a Noite do Destino?

— Eu o protegerei, isso lhe prometo. — Aproximou-se e tocou-lhe o rosto com carinho. — Que mais posso fazer por você?

— Não pegue em armas contra nós, não envergue o ódio dos senhores e não se una a eles na batalha que virá.

— Dou-lhe minha palavra. Se eu pegar em armas, será para protegê-la. E, lembre-se, minha Princesa, por você farei qualquer coisa. Diga-me o que deseja e verá que para mim seu desejo é um desígnio.

— Beije-me, para que por um momento, eu me sinta apenas uma mulher.

V

Já passava das seis quando Luiza deixou a casa do promotor. Passou no Gravatá e deu instruções a Emerenciana para que levasse o pequeno Luís para a casa de Ferraz e ficasse lá toda a noite. E no dia seguinte, se ela não voltasse, deveria levá-lo ao Recôncavo onde havia amigos que o esconderiam para impedir que a vingança do Martins caísse sobre o menino. Depois, se dirigiu à loja na Ladeira da Praça onde todos a aguardavam. A caminho, encontrou os homens de Ahuna que estavam a buscá-la, mas nada lhes disse sobre a denúncia, preferiu fazê-lo na sua presença e dos líderes que saberiam qual o melhor caminho a tomar.

Esgueirando-se pelos becos da cidade, com medo de topar com alguma patrulha, chegou ao sobrado no topo da ladeira e o alívio que sentiu ao ver a negra Edum abrir-lhe a porta foi grande, mas parecia menor que o alívio estampado no rosto da negra ao vê-la. Luiza entrou altiva e a euforia tomou conta dos negros que se apinhavam no pátio da casa de Manuel Calafate. Os homens estavam apreensivos com sua demora pois, apesar da irritação chauvinista de Aprígio, não sairiam às ruas sem que ela estivesse entre eles. A rebelião carecia da sua presença, pois cada uma das lojas nos quatro cantos da cidade — que naquele momento juntavam os negros para sair às ruas na madrugada para reunirem-se formando o exército libertador — esperava ver Luiza Princesa empunhando a bandeira verde dos muçulmanos e o pano branco dos Orixás.

Por isso, o alívio estampou-se no rosto da negra Edum ao vê-la na porta do sobrado e disseminou-se por dezenas de rostos negros que festejavam sua chegada. No pátio estavam cerca cem homens, todos vestidos de branco, a comer o inhame e o efó, feito com folhas de "língua de vaca" aferventadas e cozidas no dendê e a beber o leite e o mel oferecidos pelas negras. Luiza fez uma deferência e saudou a todos em árabe e em iorubá, depois sentou-se ao lado de Ahuna, que parecia irritado com sua demora, e em voz baixa lhe inquiriu:

— Onde andava você, Luiza? Estávamos preocupados com sua ausência e pensamos no pior.

— Fomos denunciados, Ahuna — disse, ignorando a pergunta. — A mulher de Sule, aquela puta vaidosa, nos denunciou e agora toda da polícia da cidade está atrás de nós.

— Como sabe disso?

— O promotor me disse. Estive na casa dele e ele contou-me tudo. O Martins está em nosso encalço e o energúmeno do André Marques lidera as patrulhas que neste momento revistam as casas nas redondezas.

O rosto de Ahuna se fez grave e o ciúme quase explodia, quando inquiriu Luiza:

— Você estava na casa do promotor? Não acha que esse branco presta deferência demais a uma negra liberta? E que estranhos motivos levaria o algoz a avisar sua vítima de que vai atacá-la?

— Por favor, meu guerreiro, essa não é a hora mais propícia para os ciúmes de um homem — retrucou Luiza, sem cerimônia.

— Mas talvez Aprígio tenha razão e haja algo entre você e esse branco.

— Pelo amor de Deus! — esbravejou Luiza. — Será que mesmo nos momentos em que o céu desaba sobre nossas cabeças, o ciúme ainda comanda as preocupações dos homens?! Ferraz é apenas um amigo, alguém que me quer bem e provou isso ao me informar que a polícia já sabe da revolta.

— Não importa o quanto ele gosta de você, é meu inimigo e se encontrá-lo no campo de batalha vou matá-lo.

A conversa entre os dois chamou a atenção da assistência que pôs-se silenciosa, como a perguntar o que se passava. Luiza mirou-os e, ainda em voz baixa, disse a Ahuna:

— Precisamos avisá-los, não será surpresa se em breve os soldados estiverem à nossa porta.

— Faça-o, é você quem traz as notícias — replicou, mostrando ainda acerta irritação.

Luiza dirigiu-se então aos homens, já sabendo qual seria o caminho a tomar e que sua decisão seria acompanhada pelos guerreiros.

— Meus guerreiros — disse, emocionada —, se demorei a chegar aqui, foi porque estava buscando as informações necessárias para fazer a nossa luta vitoriosa. Mas não trago boas notícias. Fomos delatados por uma negra que não honra a cor da pele, uma negra que tem nas veias o sangue covarde dos brancos e agora já há patrulhas nas ruas.

— Quem é a vadia que traiu seu próprio povo? Diga-me, para que eu possa estripá-la com a ponta de minha faca — gritou Aprígio, já com a parnaíba em punho.

— Isso agora não importa, a hora não é de vingança, mas de decisão. Precisamos decidir se abortamos o plano ou se daremos seguimento e faremos desta noite a Noite do Destino que o Profeta nos prometeu.

A menção ao Profeta fez cada negro pôr a mão na lança ou na faca que carregava, mas eles não gritaram, sequer aplaudiram, pois já estavam imbuídos de que a revolta havia começado e todo o cuidado era pouco.

— Que diz nossa Princesa? — inquiriu Calafate.

— Não há mais retorno. Seguiremos nossos planos. Sairemos daqui na hora marcada em direção à cadeia municipal para libertar o mestre Licutan e depois avançaremos pelas ruas da cidade para encontrar os negros que estarão saindo de outras lojas, para assim dar corpo à revolta e enfrentar as armas dos nossos algozes. Mas quero ouvir aquele que lidera minha coragem, ele decidirá se o futuro dos negros da Bahia será a liberdade ou a escravidão. Que fale Ahuna, o Maioral!

Ahuna admirou-se da força e da beleza de Luiza, que se dirigia aos negros como uma rainha se dirige aos súditos. E por um momento passou por sua cabeça ser necessário matar todos os homens que cruzassem o seu caminho, pois todos se apaixonariam por ela. Depois olhou para Sanin, cuja expressão parecia dizer sim a tudo o que Luiza havia dito e viu que nada mais seria necessário dizer, pois os negros já haviam tomado sua decisão.

— A Princesa sabe o que diz. Manteremos a estratégia, e antes que amanheça sairemos para tomar a cidade da Bahia.

Entre os homens era possível distinguir nos rostos a decepção de Sule, pois sabia ter sido Sabina a traidora, a raiva de Aprígio, pronto que estava para degolar aquele que impedisse seus planos, e o receio de muitos temendo ser surpreendidos antes que pudessem surpreender, mas em momento algum se viu naquele pátio qualquer sinal de medo ou o desejo de retroceder.

Os homens pareciam satisfeitos, e Sanin dava as instruções para o ataque quando Aprígio, que ainda trazia no rosto a aspereza da mão de Ahuna, voltou ao assunto que fora motivo da sua vergonha:

— Mas, há algo ainda a questionar — disse mirando fixamente os olhos em Ahuna. — Afinal, é preciso saber quem informou a Princesa sobre a delação. Será que seu informante foi o promotor, o almofadinha que mora na Rua da Faísca? Porque se foi, é possível que estivesse apenas testando-a, forçando-a a confessar a revolta que supostamente teria sido delatada.

Ahuna voltou-se para Luiza e em seu olhar estava o mesmo questionamento de Aprígio. Mas a princesa não se intimidou e com a voz pausada e firme, respondeu:

— Sim, quem me contou sobre a delação foi o promotor, Aprígio, mas não transfira para mim sua pouca astúcia. De mim ele nada ouviu, mas me disse tudo. Disse-me que foi a negra Sabina, mulher de Sule, quem nos denunciou, e que o Martins já teve autorização do Presidente da Província para mobilizar a polícia e até os quartéis. E, como prova de sua lealdade para comigo, jurou interceder por nós, caso o levante fosse suspenso.

— E por que razão lhe tem tamanha lealdade esse homem que é um dos nossos inimigos e nos levará à barra de sua justiça branca? — disse Ahuna, ainda cheio de ciúmes.

Luiza baixou a voz e respondeu cheia de compaixão pelo homem cujo zelo era uma prova de amor:

— Isso eu não sei, meu guerreiro.

— Pois eu sei! — gritou Aprígio, voltando-se para os negros. — Fez isso para enganá-la, afinal, apesar de Princesa, ela é mulher como todas as outras e está enrabichada pelo branquelo. Foi a Princesa que nos delatou, caiu na armadilha do almofadinha que fingiu saber da revolta para que ela a confirmasse.

Fez-se silêncio na sala abarrotada e, por um instante, a verdade de Aprígio tornou-se a verdade de todos. Mas, de repente, no fundo da sala, ouviu-se a voz de um dos homens de Ahuna que haviam saído em busca de Luiza:

— Meu Senhor — disse ele dirigindo-se a Ahuna —, não é verdade o que diz esse carregador de cadeirinha. Quando saímos em busca da Princesa, já havia muitos soldados na rua e eles estavam vasculhando as casas do Gravatá e da Ladeira da Praça. Alguém nos delatou muito antes de a Princesa estar com o promotor.

A negra Edum deixou escapar um suspiro de alívio e foi como se todos suspirassem, mas o homem prosseguiu:

— O pior, meu mestre — retomou o escravo, sempre dirigindo-se a Ahuna —, é que não creio que haja tempo para que possamos nos preparar. As patrulhas estão revistando as casas e a qualquer momento devem estar aqui no topo da ladeira.

Ao ouvir essas palavras, Ahuna, que até então era apenas um homem enciumado a se perguntar se havia sido traído, tornou-se guerreiro novamente. Deu ordens para que todos os homens colocassem seus barretes e cada um tomasse posse de sua parnaíba, de sua lança e dos poucos bacamartes que estavam disponíveis. Os homens então se voltariam para Meca e fariam suas orações para que cada um estivesse em paz caso fosse ter com Alá nessa noite. Aqueles que ainda não se persignaram de todo aos pés do Profeta poderiam rezar aos seus Orixás, ainda que isso fosse uma blasfêmia, pois o Deus verdadeiro compreenderia que às vezes é necessário aceitar a divisão para unir depois. Tomou a bandeira verde de Alá e a deu a Luiza que já tinha nas mãos a bandeira branca dos Orixás e as uniu transformando-a num só estandarte. De mãos dadas com a Princesa, encarou os negros em formação, prontos para a luta, todos com o camisolão e o barrete brancos que os distinguia, e disse, altivo:

— Vamos à luta, meus bravos. Nessa noite Alá permitiu que todos os deuses se unam em prol da liberdade dos negros da Bahia, e o símbolo dessa união está ao meu lado e lutará conosco. Luiza é o símbolo da liberdade do nosso povo e quem busca a liberdade não lhe pode pôr limites. Por isso, enquanto for possível, marcharei de mãos dadas com aquela que será nossa rainha quando a terra for tomada. Agora devem concentrar-se. Os planos estão mantidos e aqui ficaremos até o dia avisar que se prepara para nascer, quando então sairemos em luta para encontrar nossos irmãos em cada canto da cidade e assim formar um grande exército negro que tomará a cidade da Bahia. Mas estaremos a postos e, se antes do alvorecer algum branco ousar vir aqui, será recebido como um cão infiel e morrerá pelas mãos daqueles que estão dispostos a morrer pela liberdade.

VI

O solar de Antônio Vaz de Carvalho, em Nazaré, estava todo iluminado e recendia a festa. O capitalista era um dos homens mais ricos da Bahia e todo ano às vésperas do dia de Nossa Senhora da Guia abria os salões para festejar o aniversário de sua esposa. A festa era tradicional, costume herdado do tempo em que acolheu a Dom Pedro, e reunia toda a aristocracia baiana e os ingleses, a cada dia mais numerosos no ramo da exportação.

O alvoroço na porta do solar e o movimento de convidados faziam crer que aquela noite seria glamorosa. Observando a tranquilidade das maiores autoridades da Província adentrando alegremente ao sobrado do capitalista, seria impossível acreditar que naquele momento a cidade estava prestes a ser tomada pelos escravos. Já passava da meia-noite, os gelados haviam sido servidos e a orquestra disputava a atenção dos convivas entoando Schubert.

Ao redor das mesas era possível ver Cerqueira Lima rodeado de negociantes e exportadores a desancar a lei que proibia o tráfico de escravos. Via-se também o poeta Muniz Barreto, já meio embriagado, a declamar Byron em torno dos convidados que dele se aproximavam. Na roda principal, Antônio Vaz conversava com o desembargador Paim, o comerciante Albuquerque, o visconde do Rio Vermelho e o negociante Cesimbra, e o assunto era a ausência de Fernando Gonçalves Martins, o Presidente da Província, que inexplicavelmente não se fizera presente.

— Algo de grave deve ter acontecido. O Martins não me faria tal desfeita — garantia o dono da casa com uma ponta de preocupação.

Nesse momento, uma cadeirinha de arruar parou na porta do solar iluminado, e dela saiu um homem elegante de cartola e capa espanhola. Era o Ferraz.

Nem mesmo ele imaginou que iria à festa mais comentada da cidade, tão sensível e preocupado estava seu espírito. Porém, cansado de pensar no que iria presenciar naquela noite que se afigurava trágica, e decidido a não participar da caçada aos negros comandada pessoalmente pelo chefe de polícia, resolveu ir ao solar de Nazaré.

Procurava se convencer de que estava ali porque não conseguia tirar Luiza da cabeça, ou porque precisava tirar da cabeça a ideia estúpida de envolver-se diretamente na luta e na defesa dos negros. Afinal, era o promotor público e seria obrigado a acusar os revoltosos no processo que seria instaurado após a revolta.

Mas a verdade é que estavam em polvorosa os sentimentos do jovem promotor. Amava Luiza verdadeiramente e não havia mentido quando propôs que fossem viver longe dali, mas também prezava sua carreira e a profissão que havia abraçado. Viera de Olinda para ser promotor público na cidade da Bahia, um cargo que conquistara aos vinte e sete anos com louvor e algum prestígio junto aos homens do Imperador. E não podia jogar fora esse futuro brilhante saindo às ruas para tentar impedir que negros em pé de guerra voltassem atrás nos seus propósitos. Luiza, sim, seria capaz de impedir a revolta, tinha ascendência sobre os negros e poderia evitar o derramamento de sangue, por isso ele intentou convencê-la da temeridade desse levante. Mas ela obstinava-se, embora fosse liberta e pudesse lutar sem armas pela liberdade dos seus irmãos como, aliás, ele pretendia fazer um dia.

No entanto ela tinha suas razões. Era, na verdade, mais livre do que ele e em nome dessa liberdade daria a própria vida. *A verdadeira liberdade é poder tudo sobre si*, pensava, sabendo que seria incapaz de exercer tal liberdade. *Não vou às ruas para combater negros escravos, mas usar as palavras para, em nome do Estado a quem sirvo, pedir sua condenação*, dizia ironicamente a si mesmo, irritado com o papel de algoz que logo estaria exercendo. Em seguida se justificava, pois essa talvez fosse a única salvação dada aos escravos e a Luiza. Afinal, como promotor, poderia interceder para que não pegassem penas capitais ou castigos inomináveis como era praxe nesses casos.

Assim revolvia-se a mente do promotor, e tão contraditório estavam seus pensamentos, que ao se dirigir ao solar de Nazaré não sabia se o fazia simplesmente para desanuviar o espírito ao som da música de salão ou para avisar aos brancos da sua classe do perigo iminente.

Entrou no salão com sua elegância característica, mas com uma expressão de perplexidade que parecia vir, não do que acontecia lá fora, mas do que se passava dentro dele. Assim, cumprimentou os convidados de forma distraída, sem nem sequer reparar na riqueza dos móveis e da luminária e na opulência da residência do capitalista. Ao vê-lo entrar no salão, as mulheres, especialmente as mais jovens, suspiraram, enquanto as mais velhas puxavam suas filhas para si, no intuito de arrumá-las melhor para assim tornarem-se mais apresentáveis àquele que era o melhor partido da cidade. Já os homens o receberam com satisfação, ávidos por notícias, pois já se sabia que havia algo no ar e a ausência do Presidente da Província e do outro Martins, o chefe de polícia, era a prova concreta disso.

Logo, todos acercaram-se do jovem promotor e Antônio Vaz foi o primeiro a falar:

— Diga-nos, Ferraz, o que se passa na aprazível cidade da Bahia? Não nego que sua presença me acalma, pois, afinal, alguma autoridade resolveu vir à minha festa. E se o promotor público aqui se apresenta, é que nada de sério pode estar ocorrendo, não é mesmo?

— Temo que não, meu caro comendador. E nem sei se o que tenho a dizer será de alguma valia para vocês ou mesmo para mim, mas creio que é minha obrigação fazê-lo.

O tom sério e compenetrado de Ferraz assustou os homens à sua volta e um temor antigo, que muitos acreditavam não existir mais, reacendeu-se:

— Não me diga que se trata da tão falada revolta dos negros! — inquiriu Cesimbra.

— Sim, há uma revolta em curso e os senhores não imaginam como me dói não ter sido capaz de impedir que ela arrebentasse.

— Os malês! — exclamou Cerqueira Lima, já lívido de medo.

— Os malês, são eles, eu sabia que um dia se rebelariam. Temo por mim, dizem que entre eles tenho a cabeça a prêmio, pois vendi sua rainha que depois se prostituiu.

— Calma, Cerqueira, não é bem assim — replicou, Ferraz, tentando não espalhar o medo. — Que eles têm uma rainha é certo, e outra mais bela não poderiam ter, mas ela não se prostituiu e não sei se eles querem sua cabeça, apesar de saberem que você é o rei do tráfico na Bahia.

— Ora, promotor, de há muito já não exerço essa atividade — mentiu Cerqueira, motivando o riso de todos.

Então o visconde do Rio Vermelho, que até então se mantinha calado, disse com um ar de preocupação:

— Se o que diz é verdade, estamos todos em perigo, a qualquer momento poderemos estar à mercê de negros assassinos.

— Não, meu caro visconde. O Martins, nosso expedito chefe de polícia, já tem patrulhas por toda a parte e está vasculhando casa por casa em busca dos conspiradores. Não creio que eles cheguem até aqui, provavelmente nem sequer terão tempo de sair às ruas e estarão todos presos muito antes do amanhecer. Mas talvez fosse conveniente fechar as janelas e chamar alguns homens para defender o solar em caso de necessidade.

— Já temos esses homens — replicou Antônio Vaz —, deve tê-los visto. O Martins designou cerca de vinte homens para fazer a guarda do palacete.

— Temo que sejam poucos e não serão suficientes para conter um assalto de negros. Mas não creio que venham para cá. Em todo o caso é melhor ficarmos prevenidos, até que o Martins dê notícias e...

Ferraz não conseguiu terminar a frase, pois um tiro de bacamarte se fez ouvir em frente à casa e um alvoroço de gritos e palavras de ordem se misturou aos gritos e ao choro das mulheres. Ouviu-se então o grito de guerra de Aprígio que, com a parnaíba na mão, ameaçava subir a escada do sobrado:

— Morte aos brancos, em nome de Alá, Ar-Rahman!

Desesperado, José Cerqueira Lima deixou-se cair na poltrona, pálido de medo, e exclamou:

— Meu Deus nos salve! São os malês!

VII

O alfaiate Domingos Marinho morava num sobrado de dois andares com sua amásia Joaquina, no sopé da Ladeira da Praça, próximo à Igreja de Nossa Senhora de Guadalupe. O mulato morava no térreo, e para aumentar a renda, havia alugado o subsolo a Manuel Calafate. Com o tempo, Domingos percebeu que seu inquilino era malê e à noite fazia reuniões onde se discutiam religião e outros assuntos. Nas poucas vezes que entrou na loja para receber o aluguel, havia reparado nos objetos estranhos espalhados pela casa, como umas tábuas de madeira preta e amarela, algumas com escritos estranhos em linguagem que ele, embora alfabetizado, não conseguia entender, várias roupetas e barretes que indicavam estar outros pretos morando ali. Na última vez que lá estivera, também havia visto uns papéis escritos com a mesma caligrafia e uma vara grande com um pano branco e verde em forma de bandeira e vários saquinhos de couro, que os malês chamavam de patuás, pendurados na haste.

Acostumado a não se envolver na vida alheia e satisfeito com o aluguel pago em dia, fez ouvido de mercador ao que lá se passava e não reclamou do intenso movimento verificado na loja. Mas começou a se aborrecer quando Pai Manuel trouxe para morar com ele o carregador de cadeirinha de nome Aprígio, negro alto e espadaúdo, cujo maior prazer era demonstrar que não gostava de mulatos como ele. Pouco se lhe dava se este ou aquele negro não gostava dele, por isso não levou a querela adiante até que começaram a se verificar altercações na porta do sobrado, motivadas invariavelmente por agressões e xingamentos envolvendo esse Aprígio. Por causa disso, Domingos solicitou a loja de volta tendo ouvido de Calafate que, ao final de janeiro, ele e seus amigos se mudariam.

Faltavam poucos dia para que se findasse o primeiro mês do ano e o inquilino não voltou a falar do assunto. Mas, agora mesmo, novas altercações pareciam vir do subsolo, com gritos e apupos intermitentes, o que causou enorme aborrecimento a Domingos, motivando-o a ir pessoalmente reclamar. Ao aproximar-se, percebeu pelo barulho atrás da porta que nesta noite havia muito mais homens do que nas anteriores e, temendo problemas com a polícia, bateu várias vezes chamando por Pai Manuel. Mas para sua surpresa quem atendeu à porta foi Aprígio que, munido de faca de ponta, nem sequer lhe deixou falar, ameaçando-o:

— Volte para sua casa, mulato safado, e nos deixe em paz. E se eu souber que uma só palavra saiu de sua boca imunda sobre o que está acontecendo aqui nesta noite minha faca vai esburacar seu bucho.

E bateu a porta na cara de Domingos que, tremendo de medo, voltou para sua casa e contou tudo a Joaquina e ao escravo Ignácio, de propriedade do seu irmão, que morava no Recôncavo e viera trazer dinheiro e encomendas. Domingos trancou-se em casa, mas Ignácio foi em busca de uma pinga na venda próxima e lá deu com a língua nos dentes, contando que havia negros reunidos na casa do alfaiate e pareciam em pé de guerra. Nesse momento, o tenente Lázaro do Amaral entrou na venda para comer alguma coisa, faminto que estava, pois desde cedo havia revistado mais de uma dezena de casas nas imediações do Gravatá e da Ladeira da Praça em busca de negros revoltosos sem nada encontrar. E o juiz de paz da Sé e suas patrulhas também haviam revistado as casas dos africanos, sem nada descobrir, apesar da insistência do chefe de polícia, de que havia uma revolta em curso.

Nada fazia crer que houvesse por ali qualquer sinal de conspiração, e o tenente Lázaro, que já se dispunha a informar o fato aos superiores, ouviu atento as palavras com que Ignácio concluiu sua ladainha:

— O patrão acha que alguma coisa se passa ali, há muitos negros reunidos.

Na mesma hora o escravo foi agarrado pela gola do camisão e puxado para o lado do tenente, que gritou com autoridade:

— Leve-me agora a esse sobrado imundo.

Quando chegou ao sobrado, o tenente Lázaro, agora em companhia do juiz de paz da Freguesia da Sé, foi ter com Domingos e não deu importância aos seus temores, muito menos aos de Joaquina que, com o filho numa mão e a imagem de Senhora Sant'Ana na outra, implorava a Domingos que ele não dissesse nada, pois os malês iriam matá-lo. O alfaiate nada disse, mas Lázaro pôs-se de imediato a revistar a casa e pediu as chaves do subsolo no qual ele havia presenciado o movimento desusado de negros.

Com um aperto no peito, como que sentindo a ponta da faca de Aprígio escarificar sua barriga, Domingos deu as chaves ao tenente e, escoltado, seguiu escada abaixo em direção à porta da loja, tendo atrás dois soldados. Na porta, o tenente surpreendeu-se com o silêncio absoluto, mas instou Domingos a usar as chaves, enquanto ele se perfilava em guarda junto aos dois soldados. Quando Domingos rodou a maçaneta, mal teve tempo de ouvir as palavras de ordem em árabe e iorubá e o grito de guerra "mata soldado", pois Aprígio, à frente de todos, o apunhalou de baixo para cima levantando-o e fazendo-o cair já estertorando. Ao mesmo tempo, Sule, de bacamarte na mão, atingia o tenente no peito e Conrado e Belchior detonavam suas espingardas no peito e na cabeça dos dois soldados que o acompanhavam.

A patrulha havia sido dizimada e o juiz de paz fugira ao primeiro sinal de embate. Então, o grupo que havia saído em correria deteve-se no Largo de Guadalupe, e aqueles que por ali passavam impressionaram-se ao ver mais de uma centena de negros armados, alguns deles carregando archotes, tendo à frente uma negra altiva e bela empunhando uma bandeira verde a tremular com a brisa vinda do mar da cidade da Bahia.

Sob a liderança de Ahuna, os negros saíram da loja da Ladeira da Praça e dividiram-se em grupos seguindo a estratégia detalhadamente planejada, embora todos soubessem que ela fora colocada em xeque com a denúncia e o ataque dos brancos, já que os negros das outras freguesias só sairiam às ruas ao amanhecer. Ainda assim, Ahuna determinou que cada grupo seguisse na direção determinada gritando e batendo nas portas e janelas das casas, despertando os negros, pois o exército da libertação estava se formando.

Um grupo liderado por Aprígio seguiu pela Rua dos Capitães em direção ao Largo do Teatro, outro sob o comando de Manuel Calafate tomou caminho da Rua da Oração em direção à Cidade Baixa. Enquanto isso, o grupo liderado por Ahuna, tendo Luiza ao lado, seguiu para a Rua da Ajuda em direção à Câmara Municipal para arrombar a cadeia e libertar Licutan. Decidiu-se que um grupo menor comandado por Sule permaneceria no Largo de Guadalupe por algum tempo, guardando a retaguarda e esperando outros grupos para juntar-se a eles. Estava deflagrada a revolta de escravos que pretendia tomar a cidade da Bahia.

VIII

Desde o momento em que denunciou seu homem, o remorso fincou-se feito poita na cabeça de Sabina Cruz e tornou-se uma dor enraizada que fazia seus olhos lacrimejarem sem parar.

A reação que resultou do encontro dela e de Guilhermina com o juiz de paz da Freguesia da Sé foi muito maior do que ela esperava e lhe deu a exata medida da gravidade da situação, mesmo antes de as patrulhas tomarem as ruas da cidade.

Sabina não acreditava naquela revolta e a tomava por uma conspiração de alguns negros desenraizados da cristandade e atraídos pelo demônio travestido de Mafoma. Na verdade, não acreditava em nada em que Sule estivesse metido, pois o mantinha preso a si, desmerecendo-o, e, de tanto fazê-lo, passou a crer que qualquer coisa na qual ele estivesse envolvido careceria de força e não resultaria em nada, assim como não resultavam suas ameaças reiteradas de ir embora, ou a promessa de jamais tocá-la novamente. Sule era um fraco e era assim que ela o queria. Havia denunciado aquela travessura de guerra, típica de homens, cujo desfecho acabaria em surra feia, apenas para salvá-lo, para protegê-lo de si mesmo. E o fizera na segurança de que o juiz de paz o protegeria, assim ele o havia prometido. Tinha também a certeza de que os senhores não matariam os homens por causa de uma baderna sem consequências, não perderiam seu patrimônio só porque uns escravos rebeldes haviam se juntado. No pior dos casos, o que resultaria de tudo seriam costas e nádegas dilaceradas pelo chicote dos capatazes. Mas a reação dos brancos, a mobilização imediata de patrulhas que começaram a vasculhar os bairros da cidade, mostrava que eles temiam os negros e estavam prevenidos e cientes de que alguma coisa estava sendo tramada.

Nesse momento Sabina percebeu que Sule estava metido em algo grande e que talvez sua força, sempre pronta a obrigá-lo a seguir o caminho certo, não fosse suficiente para safá-lo daquela confusão. Pensou por um momento que isso era coisa daquela vadia alcunhada de princesa e que ela havia atraído seu homem não apenas para sua cama desavergonhada, mas também para uma luta que nunca fora dele.

De repente, porém, a imagem de seu amado Vitório caindo ao chão varado pelo fogo da polícia não mais saiu de sua cabeça e, ao saber do confronto da patrulha com os negros na Ladeira da Praça, a ansiedade, havia muito custo controlada, e que lhe permitira atender aos conselhos de Guilhermina instando-a a ficar em casa à espera do desfecho, transformou-se em desespero. Então saiu correndo rumo ao sopé da ladeira onde se daria o primeiro enfrentamento.

A essa altura, o chefe de polícia já estava em guerra aberta contra os insurrectos, já havia arregimentado vários homens, formando patrulhas e posicionando-as em vários bairros da cidade, e avisado também aos comandantes dos quartéis. Ao mesmo tempo, uma patrulha de vinte homens foi designada para enfrentar os rebeldes no Largo de Guadalupe, enquanto ele seguia para o Bonfim para ali posicionar a força de cavalaria, pois tinha certeza de que os amotinados para lá seguiriam, já que daí poderiam alcançar o Cabrito, onde seria possível encontrar os negros que porventura viessem do Recôncavo. Seria prudente, por outro lado, tirar as famílias de suas casas e recolhê-las na Igreja do Bonfim onde estariam protegidas, sem esquecer que era preciso também passar em Nazaré para saber se tudo estava em ordem nas imediações do solar de Antônio Vaz.

Sabina saiu de sua casa no Gravatá em busca de Vitório no exato momento em que o chefe de polícia deu ordem à patrulha para subir a Ladeira da Praça empunhando seus bacamartes. Quando chegaram ao Largo de Guadalupe e viram os negros reunidos, os soldados fizeram fogo, mesmo que muitos deles estivessem dispostos a se entregar.

Desesperada, Sabina esgueirou-se pelos cantos tentando ultrapassar a patrulha, mas foi barrada por um soldado e informada de que ninguém passaria pela força militar, a essa altura já tomando toda a rua e seguindo em formação cerrada. E, ante a insistência da mulata e a petulância de tentar empurrá-lo para abrir passagem, o soldado foi obrigado a jogá-la ao chão com uma cotovelada, partindo-lhe o lábio e misturando o sangue com as lágrimas que já não paravam de cair.

Sabina intimidou-se, mas seguiu atrás da formação, adivinhando que a morte estaria à sua frente e rezando para Sule não estar entre os homens que guardavam o Largo de Guadalupe e fosse um covarde como ela sempre quis que fosse para assim fugir, salvando sua vida. Mas Sule ali estava, liderando uma dezena de negros que se preparavam para seguir rumo à Praça do Palácio e não recuou quando percebeu a patrulha disposta a enfrentá-los. Ao contrário, reverteu a ordem de seguir em frente, posicionou os homens e deu a ordem de ataque.

Dez negros altos, todos de camisolão e barrete brancos, armados de lanças e parnaíbas se atiraram ferozmente contra a patrulha que, surpresa com o ataque, respondeu tardiamente e a carga de tiros só foi desferida após vários soldados estarem estirados no chão com o ventre aberto, e o comandante ter seu rosto desfigurado pelo chumbo do único bacamarte que os negros carregavam e que estava nas mãos de Vitório Sule. E foi nele que os soldados, refeitos da surpresa, detonaram suas espingardas, para depois outra carga pôr no chão outros negros que ainda lutavam. Sabina, que seguia a patrulha de perto, ao ver Sule de bacamarte na mão na mira dos policiais, ainda gritou em agonia, antes que os disparos fossem feitos:

— Fuja Vitório! Fuja, meu amor! Seja covarde e fuja...

Sule a viu e, reagindo à sua ordem, arremeteu contra os soldados que apertaram os gatilhos ao mesmo tempo.

Quando a patrulha se foi em busca dos outros negros insurrectos, Sabina ainda estava no chão, chorando, abraçada ao corpo do companheiro varado de balas, e gritando desesperada com as mãos sujas do sangue do seu homem:

— Eu o matei! Fui eu que o matei!

IX

A guarda do Palácio de Governo não pôde conter o espanto ao ver, iluminados pelos archotes que carregavam, mais de uma centena de negros vestidos de branco e com armas nas mãos caminhando em direção à Câmara Municipal, tendo à frente uma negra altiva e bela levando uma bandeira verde com desenho de uma lua crescente e uma estrela em uma mão, e na outra um pano branco também em forma de bandeira, de cuja haste pendiam patuás.

Os negros evitaram o Palácio e dirigiram-se à cadeia municipal, no subsolo da Câmara de Vereadores, e enquanto forçavam o pesado portão que lhes barrava a entrada, gritavam em coro: "Liberdade para Bilāl, nosso guia, e para todos os escravos".

Mais embasbacados do que a guarda do Palácio, que apenas observava o movimento dos negros do outro lado da rua, estavam os guardas da cadeia, movendo-se às pressas em busca das armas para enfrentar os invasores. Assustado, o carcereiro, que morava com a família nas dependências da prisão, resolveu agir e, ao tempo em que enviava um soldado ao outro lado da rua para pedir ajuda à guarda palaciana, ordenou a seus homens que se postassem em frente ao portão e trouxessem o preso Licutan, colocando-o à frente dos guardas, para que fosse o primeiro a morrer caso os negros invadissem a cadeia.

Quando Licutan surgiu por trás das grades, o silêncio se fez entre os negros e muitos deles se curvaram em reverência ao limano. Mas Ahuna pressentiu a armadilha do infame carcereiro, disposto a fazê-lo de escudo para assim desmobilizar os negros, e os fez voltar ao ataque. Os homens investiriam uma vez mais sobre os portões da cadeia, sendo rechaçados pelos guardas. Sob as ordens de Ahuna, retrocederam, tomando posição para um novo ataque; contudo, a essa altura, Licutan havia compreendido que aquela não seria sua hora de liberdade e que manter os homens ali seria condená-los à morte, abortando a revolta. Por isso, gritou com a voz autoritária de quem sabe comandar:

— Sigam seu caminho e libertem a cidade da Bahia. De que me adianta a liberdade, se a escravidão prevalecer? Sigam em nome de Alá que reinará sobre os negros nesta terra.

Ahuna então deu ordem para que seguissem em frente. Mas nesse momento, os africanos foram sitiados, de um lado pelo fogo do pelotão palaciano e, do outro lado da rua, pelos disparos dos guardas da cadeia. O pesado tiroteio atingiu em cheio a massa de negros, por sorte a distância que estavam do Palácio reduziu a eficiência da carga e poucos foram feridos de morte. O grupo recuou e em bloco desceu pela Rua da Ajuda até o Largo do Teatro para encontrar Aprígio e seus homens que haviam dizimado a patrulha policial vinda da Barroquinha para juntar-se aos soldados que defendiam o Largo do Palácio.

No Largo do Teatro, os negros avaliaram as perdas, e não eram muitas. Por essa razão, embora tenham sido rechaçados no intento de libertar Licutan, sentiram-se fortalecidos e, com o moral elevado, pararam esperando as ordens de Ahuna. Já Luiza, ao contrário deles, parecia preocupada com a quantidade de patrulhas a lhes dar combate em cada ponto por onde passavam.

Afogueado e coberto do sangue dos inimigos, Aprígio queria seguir em frente no intuito de estripar com sua parnaíba quantos brancos lhe atravessassem o caminho. Ahuna o deteve e juntou-se ao seu grupo para, no fugidio momento em que não estavam sob fogo cerrado, retomar a estratégia inicial e evitar o desbaratamento das forças. Ele também estava preocupado com a reação imediata das tropas. E, sabendo ter perdido o componente surpresa, com o qual contava sobressaltar as autoridades, propunha tomar o caminho da Cidade Baixa dirigindo-se imediatamente ao Bonfim e daí ao Cabrito para reunir os diversos grupos e encontrar com os negros vindos do Recôncavo ampliando assim seu exército.

Aprígio, ao contrário, insistia que a cidade estava apavorada e que, se continuassem espalhando o terror em pouco tempo os brancos fugiriam em desespero. Os homens pareciam divididos sem saber qual caminho tomar, quando Luiza, ainda de posse dos estandartes, falou:

— Qualquer um desses caminhos nos levara à ruína. Quantos homens temos aqui, cem, duzentos, talvez menos, pois alguns foram feridos e ficaram pelo caminho. Não, a única alternativa é seguir em direção ao Forte de São Pedro, arregimentando os negros nas Mercês e ao longo do caminho, e de lá seguir para a Freguesia da Vitória onde Dandará e James se juntarão a nós com mais de três centenas de homens. Assim não teremos combate, pois os ingleses estão trancados em seus casarões e não convocaram a polícia, pois são contra a matança de negros. Na Vitória, talvez antes, pois Dandará e seus homens também devem estar se movendo. Poderemos nos reunir, formar um verdadeiro troço revolucionário e marchar em direção à Mouraria, depois até a Baixa dos Sapateiros e, daí, alcançar a Cidade Baixa na altura de Água de Meninos, onde, ainda agora, chegam os saveiros com os homens do Recôncavo.

Aprígio sabia que Luiza estava certa. A união era a única arma de que eles dispunham, pois o imprevisto fora desfeito pela mulher de Sule, a traidora que ele rasgaria com sua faca sem piedade se a encontrasse, não sem antes estuprá-la como sempre teve desejo de fazer. Apesar disso, não permitiria a uma mulher traçar o rumo da revolta, por isso rebateu a proposta, embora sem muita convicção.

— Mulher, deixe a guerra ao talante dos homens. Não vê que o Forte de São Pedro abriga o poderoso Batalhão de Infantaria, que se entrar na luta vai desbaratar-nos sem dificuldade?

— O batalhão não se envolverá na refrega — rebateu Luiza.
— São dissidentes, acham que essa luta não é deles. Além disso, poderemos passar ao largo do Forte, sem lhes dar combate.

Ahuna não deixou Aprígio contestar. A essa altura já estava convencido de que precisava reunir as forças, mesmo tendo suas dúvidas quanto à possibilidade de alcançar a Freguesia da Vitória, assim levou o braço direito ao alto e deu ordem para que seguissem nessa direção.

Não foi uma empreitada fácil para aqueles homens que, quase sem armas de fogo, enfrentaram por todo o percurso as rondas policiais mobilizadas em toda parte. No entanto, o troço rebelde ampliou-se ao chegar às Mercês, onde dezenas de negros se juntaram ao grupo, e mais uma vez enfrentaram o fogo cerrado de um bloco de soldados nas proximidades do forte. Eram cerca de dezoito homens, mas fortemente armados, e Ahuna temeu que ali caíssem mais negros do que era possível perder; de repente, porém, o som de tiros vindos das proximidades do quartel estrondou, mas as balas não eram dirigidas a eles e sim aos soldados e então Luiza divisou no outro flanco da Rua do Forte um mar de negros vestidos de branco tendo à frente Dandará, Dassalu e Nicobé Sule.

A visão deu novo ânimo aos negros que massacraram com facilidade os dezoito da patrulha e seguiram de encontro ao grupo vindo da Vitória. O batalhão recolhido no Forte manteve o fogo cerrado impedindo qualquer aproximação, mas permaneceu aquartelado, o que permitiu aos negros desviar do fogo cerrado e fazer a junção dos homens nas imediações das Mercês.

Agora, os dois grupos unidos formavam um exército poderoso de mais de seiscentos negros a deslocar-se pelas ruas da cidade gritando bandeiras de ordens em várias línguas como se fosse um exército libertador formado por muitos povos. Logo chegaram ao Largo da Piedade, daí seguindo para o Largo da Lapa onde sem esforço dizimaram os mais de trinta homens que guarneciam o quartel de polícia.

Pela primeira vez os negros sentiram o gosto da vitória e acreditaram na possibilidade de submeter a cidade a um califado em tudo heterodoxo, composto de pagãos e muçulmanos, e cujo poder maior estaria nas mãos de uma mulher, uma rainha que, soberba, caminhava à frente de centenas de homens empunhando as bandeiras de Maomé e dos Orixás.

X

Quando os negros saíram em bloco do sobrado de Manuel Calafate, na Ladeira da Praça, em direção ao Largo de Guadalupe aos gritos de "mata soldados", poucos se deram conta de que um negro magro e muito ágil tomou caminho diferente em desabalada carreira. Era Dandará que fora instruído por Ahuna para correr à Freguesia da Vitória, onde se concentrava a maior parte dos revoltosos, avisando-os de que a revolta havia sido antecipada pela traição de uma negra ciumenta. Em lá chegando, deveria mobilizar os líderes James, Dassalú e Nicobé Sule para que organizassem os homens e se pusessem em marcha, a fim de fazer a junção das forças na altura do Forte de São Pedro. Eles estavam saindo da Praça Municipal para encontrá-los lá.

A cidade estava cheia de patrulhas. Por isso, Dandará coseu-se às paredes aproveitando-se do escuro da noite e da pele para não chamar atenção e em pouco tempo estava nas redondezas da mansão dos Cabtree com os líderes malês, que de imediato começaram a mobilizar centenas de negros pondo-os em guarda. Eles já estavam preparados para sair à rua aos primeiros raios do sol.

Não estivessem as ruas desertas de brancos que, assustados com os rumores da revolta trancaram-se em suas residências, e eles poderiam ver os negros saindo de cada casa e juntando-se em silêncio na Freguesia da Vitória, todos de branco deslocando-se contritos como numa procissão em homenagem a Alá ou Oxalá. Mas nas mãos de cada um não havia terços ou símbolos, e as lanças e espadas que carregavam mostravam que estavam prontos para a guerra.

O negros saíam das casas dos senhores e reuniam-se no Campo de São Pedro, para daí seguirem pela Rua do Forte onde, conforme as orientações de Dandará, se juntariam ao grupo comandado pelo Maioral e por Luiza Princesa, formando assim um poderoso exército capaz de enfrentar os brancos já inteiramente mobilizados.

Quando o Campo de São Pedro já estava apinhado de negros, dezenas de archotes começaram a iluminar as ruas que o cercavam e de cada viela surgiram soldados armados formando uma patrulha coesa, cujo comando estava nas mãos do inspetor André Marques, o cruel perseguidor de escravos baseado no quinto quarteirão da Vitória.

Marques fora um dos primeiros a serem avisados da revolta pelo chefe de polícia e, diferente das pequenas patrulhas formadas para perseguir os negros, preferiu montar um grupo grande de homens, consciente de que na Vitória, mais do que em qualquer outro local da cidade, os negros se davam a reuniões e rezas permitidas pelos ingleses abolicionistas. Daí muito provavelmente ali estaria o grosso dos revoltosos. A lógica era perfeita, assim, uma patrulha fortemente armada irrompeu no Campo de São Pedro pronta para abrir fogo ao sinal do inspetor.

Mas o ódio desarrazoado que Marques tinha pelos negros não era maior que aquele que James nutria por ele desde o dia em que o corpo de Diogo, seu mestre e melhor amigo, foi varado pelas balas do seu bacamarte. Esse ódio o preparou para a luta de morte com o maldito inspetor, predestinada desde o dia em que sua intolerância derrubou a mesquita por eles construída. Mas essa não seria uma luta de peito aberto como ele esperava, para assim dizimar os negros. Seria, ao contrário, como a batalha de Badr foi para o Profeta, um sinal de que seria possível derrotar os inimigos. James sabia que o Profeta começou a ganhar aquela batalha quando matou os líderes do exército e, ao ver André Marques aproximar-se arrogante à frente dos seus homens, não teve dúvidas do que fazer. Aliou-se a Alá e à escuridão e, munido de sua parnaíba capaz de cortar um fio de cabelo, esgueirou-se pelos muros e paredes e atravessou a praça como um réptil aproximando-se do flanco onde se postava a patrulha, posicionada diante da multidão de negros e pronta para abrir fogo.

Os soldados vinham da Rua do Forte desembocando aos grupos no Campo de São Pedro, e reuniram-se em bloco em frente ao grande sobrado rodeado de árvores localizado na esquina e ali empacou, obedecendo às ordens do inspetor Marques. Dali, ele observava mais de três centenas de negros que, em instantes, cairiam por terra sob o fogo cerrado das armas. Entretanto, talvez desfrutando o poder sobre a vida e a morte daqueles homens, demorou demasiadamente nesse exercício de vaidade. Foi o tempo exato para que James tomasse uma viela de atalho e voltasse silenciosamente por trás da tropa, trepando na copa da árvore que parecia estar ali para compor o cenário no qual, aos seus pés, Marques ordenaria o ataque. Antes que o fizesse, porém, James já havia se deslocado de maneira imperceptível e agora se posicionava exatamente no alto de um galho de árvore acima da cabeça de Marques. Então, enquanto o inspetor saboreava antecipadamente a vitória, ele jogou-se do galho em seu cangote, e a rapidez foi tal que, antes de cair ao chão, Marques sentiu a lâmina da parnaíba cortar profundamente seu pescoço, que pendeu de imediato já cheio de sangue.

A tropa estatelou-se aturdida pelo grito árabe do negro vindo da escuridão da noite e pelo sangue do comandante a se espalhar pelo chão, e esse momento de indecisão bastou para que centenas de negros caíssem sobre os soldados sem que os gatilhos de suas armas fossem acionados. Antes, todavia, o soldado postado ao lado do inspetor teve tempo de apertar o gatilho de sua espingarda e atingiu em cheio o peito de James, ajoelhado imprudentemente, em direção a Meca para agradecer a Alá por tê-lo permitido experimentar o sabor da vingança.

O Campo de São Pedro estava agora apinhado de corpos brancos; e os negros, aos gritos, se voltavam para Meca para agradecer a Alá e ao Profeta.

XI

Quando Luiza viu Dandará, Dassalú e Nicobé Sule à frente de centenas de negros vindo juntar-se a ela e seus homens, após passar pela artilharia do Forte de São Pedro, creu pela primeira vez que os deuses estavam ao seu lado. E que talvez fosse possível enfrentar os brancos e tornar livre a cidade da Bahia.

Feita a junção, o exército de negros tornou-se poderoso e quase mil homens armados de facas, lanças, parnaíbas e poucas armas de fogo seguiu adiante. No entanto, apesar de demonstrarem força, preferiram desviar do batalhão de artilharia, que tampouco os perseguiu preferindo mais uma vez manter-se aquartelado. Entoando hinos e gritando palavras de ordem, eles seguiram para o Largo da Lapa, onde invadiram o quartel de polícia matando os trinta e dois homens que o defendiam, sofrendo uma perda de dez homens, talvez menos.

Nesse momento, os líderes se reuniram para definir o próximo passo de acordo com a estratégia anteriormente traçada. Luiza havia conseguido seu intento e fizera a junção dos negros da Freguesia da Vitória, das Mercês e da Lapa e do centro da cidade e agora, à frente de um exército poderoso, preparava-se para o ataque final. Ahuna estava confiante, e quando falou aos negros, tendo Luiza ao lado, sua voz era firme e a expressão do rosto marcado pelas cicatrizes parecia feroz, como se estivesse disposto a redimir com sangue toda a dor e humilhação sofrida desde que aportara na terra dos brancos:

— Guerreiros, é chegada a hora da batalha final. Seguiremos pelo Pelourinho, descendo a Ladeira do Taboão até a Cidade Baixa, para então alcançar Água de Meninos.

— Mas aí fica o Quartel da Cavalaria e, pelo que ouvimos, o chefe de polícia está lá, pessoalmente, comandando os homens — objetou um dos negros do grupo da Freguesia da Vitória, transmitindo o receio de todos.

Ahuna sorriu, como se estivesse esperando o argumento para que pudesse contestá-lo:

— Sim, ali está estacionada a maior força militar da cidade e devem estar aquartelados cerca de quinhentos homens. Mas nós somos mais numerosos e, se não temos armas, temos a proteção de Alá e os patuás que desviarão as balas dos nossos corpos. Além disso, como se não bastasse, a coragem de cada negro, seja ele crente do Profeta ou dos Orixás, como quer minha rainha, vale mais que a de dez brancos.

Aprígio, cujo objetivo maior parecia ser o de matar quantos brancos fosse possível, mais uma vez questionou o comandante, propondo um caminho em que, em vez de levar os homens a um enfrentamento com os soldados, os colocariam frente a frente com os senhores de engenho e suas famílias:

— Não seria melhor desviar do quartel e ir direto ao Bonfim, onde os brancos estão em festa em suas casas?

— Não, Aprígio, somos guerreiros, não assassinos de mulheres e crianças — retrucou Ahuna com altivez. — Se quisermos tomar a cidade da Bahia, mais cedo ou mais tarde teremos de enfrentar o batalhão da cavalaria. Além disso, assim poderemos testar nossa força e, se formos capazes de vencê-los, a luta estará ganha. Mas, ainda que não seja agora que a vitória nos será dada, temos de enfrentá-los de qualquer modo, pois o quartel está entre nós e o Cabrito, onde podemos encontrar os negros que continuam a chegar do Recôncavo, para ampliar nossa força. Ou até, se a sorte não nos sorrir, encontrar o melhor local para proteger os homens e seguir para o interior.

Os negros estavam convencidos e aplaudiram seu líder, mas o silêncio se fez mais forte quando Luiza falou, usando um monumento como pedestal:

— Meus guerreiros, fomos tirados à força da nossa terra e trazidos para cá como escravos, mas em momento algum deixamos de sonhar com a liberdade. E agora, com as graças de Alá e de Oxalá, a liberdade nos sorri e os deuses, todos eles, estão ao lado dos homens de pele negra. Vamos em frente, guerreiros, e salve a cidade negra da Bahia!

Luiza foi ovacionada e os homens levantaram suas armas a dizer que estavam prontos para dar a vida pela liberdade e por sua rainha negra.

Aprígio não pensava assim. Sua estratégia de combate era diferente e não previa o confronto direto com os militares. Ahuna evitava o massacre dos civis, dirigindo seus ataques para os fardados, como se apenas eles fossem os inimigos. Mas para Aprígio qualquer um que tivesse a pele branca merecia morrer e sua parnaíba já havia sangrado muitos brancos desarmados ao longo do caminho. Sua tática era outra e buscava implantar o terror entre os senhores para assim obrigá-los a fugir deixando para trás armas e sua riqueza.

Desde o início da revolta não se via liderado por Ahuna e muito menos por aquela cadela infiel, alcunhada de Princesa. Contudo, tinha consciência da debilidade do seu poder de mando, restrito a pouco mais de trinta negros que o seguiam e, por isso, mesmo agindo sozinho, fingia acatar as suas orientações e pretendia valer-se de sua força ingênua até o momento em que fosse possível desafiar sua autoridade.

Ainda agora, eram outros seus planos e não seguiria o rumo de Água de Meninos, por isso ficou para trás com seus homens, pretextando arregimentar mais negros, quando então se uniria à tropa. Pretendia, antes, impor o terror aos brancos abastados e suas famílias para que eles sentissem o gosto do próprio sangue e provassem a crueldade dos negros que doravante dominariam a cidade. Para Aprígio, muito mais importante do que enfrentar os lacaios pagos para defender os poderosos, como queria Ahuna, era cortar a cabeça do poder, matar aqueles que estavam no comando, pois sem a cabeça o corpo não se moveria.

Carregador de cadeiras de arruar, Aprígio sabia que, tradicionalmente, a véspera do dia de Nossa Senhora da Guia era de festa na casa do comendador Antônio Vaz e ele reunia no solar de Nazaré a nata da sociedade e os poderosos de plantão. Todos estariam aí, inclusive o Presidente da Província. E a casa não estaria guardada, pois as patrulhas estavam espalhadas por toda a cidade, assim seria fácil surpreender as principais autoridades da cidade e cortar a cabeça dos poderosos, os verdadeiros responsáveis pelo tráfico de escravos e pelo cativeiro.

Então, enquanto o exército de negros se deslocava em direção a Água de Meninos onde travaria uma batalha de vida ou morte, Aprígio e seus homens punham em prática o ousado plano de invadir o solar do comendador Antônio Vaz e matar não apenas o Presidente da Província, mas todos os traficantes e exportadores de escravos. Com esse objetivo, tomou o caminho de Nazaré.

XII

O tiro detonado pelo fuzil de Aprígio, defronte da portentosa escada em caracol que dava acesso ao solar de Antônio Vaz, assustou as mulheres e levou de imediato os homens à varanda para ver do que se tratava. Mas a visão daquele negro de estatura elevada postado à frente de mais de vinte homens armados os fez retroceder e voltar ao salão inundado de luz pelos candelabros de prata, e onde a orquestra já não tocava Schubert e as mulheres choravam em desespero. Guarnecia o solar uma patrulha designada pelo Martins para defender o palacete, mas os homens, antes conversando despreocupados e saboreando os *gelatos* de receita italiana, uma especialidade da casa, logo perceberam que ela não seria suficiente para enfrentar os negros postados em posição de guerra. Se quisessem impedir a invasão do solar, teriam eles mesmos de pegar em armas e defender a casa e as mulheres.

Ângelo Ferraz tinha dito a Luiza que não sairia de casa naquela noite e não participaria de uma guerra que não era dele e na qual ele não se sentia representado. Não desejava presenciar a revolta de negros, nem a repressão feroz que seria levada a cabo pelo chefe de polícia, mas precisava sair. Seu temperamento não lhe permitia ficar em casa como uma comadre, enquanto a cidade ardia em fogo. Debelada a revolta, caberia a ele acusar os negros, mas o faria tentando protegê-los, reduzindo as punições. Era simpatizante da causa abolicionista e não podia conceber que no mundo moderno, com os ingleses cruzando os mares para negociar com o mundo inteiro, ainda houvesse quem desejasse manter a economia de um país baseada no tronco e no chicote.

E além disso, havia Luiza, com seus olhos verdes e sua liberdade, com o corpo escultural e altivez, com sua postura de rainha que encantava os negros e havia enfeitiçado seu coração, também submetido às suas ordens. Não queria Luiza envolvida naquela revolta, mas sabia ser impossível convencê-la do contrário. Ele mesmo tinha consciência da justeza dos seus propósitos, embora soubesse que eles jamais seriam alcançados por meio de uma revolta de negros. Jamais pensou em acompanhá-la naquela aventura que certamente terminaria em massacre, queria apenas demovê-la desse intento. Mas como isso não parecia possível, pretendia, quando tudo chegasse ao fim, usar seu poder para impedir sua condenação e trazê-la para junto de si. Afinal, não seria difícil responsabilizar-se pela liberta revoltosa, tomando-a aos seus cuidados. Não desejava participar daquela refrega e tampouco ser responsável pela carnificina que se avizinhava, por isso foi à festa de Antônio Vaz, imaginando que os revoltosos trilhariam outros caminhos enquanto ele desanuviaria o espírito na festa para, consumada a repressão, ir em busca de Luiza.

Muitas vezes havia lhe passado pela cabeça o quanto era cômoda, até covarde, sua posição; afinal, Luiza poderia não sair viva do confronto. Seria, na verdade, um alvo privilegiado, pois era um dos líderes da revolta, mas, apesar disso, seu pensamento dava voltas justificando sua posição, tentando convencer-se de que ela sairia viva do embate, não apenas porque era mulher e os homens, mesmo policiais, pensam duas vezes antes de assassinar uma bela mulher, mas porque o Martins, sentindo-se afrontado pessoalmente pela revolta, queria saber como fora possível a negros analfabetos e rudes planejar um levante daquele porte e para isso precisava arrestar seus líderes vivos, para assim ter o prazer de torturá-los até descobrir como se organizavam e quem os financiava. Ferraz avaliava vagarosamente todas as possibilidade e até admitia, ou talvez assim o desejasse, que Luiza não saísse viva do embate, mas se assim fosse era porque o destino o havia determinado, demonstrando-lhe, sem sua interveniência, o caminho que não deveria seguir.

Mas, quando ouviu o tiro disparado por Aprígio e, ao correr à varanda, viu os negros em posição de guerra prestes a invadir o sobrado, percebeu que nem tudo estava previsto no seu pensamento racional. Muito menos um troço de negros invadindo a mansão do comendador Antônio Vaz, obrigando-o a colocar-se no centro de uma luta da qual pretendia esquivar-se e coagindo-o a se posicionar e a escolher entre suas ideias e seu amor por Luiza e a defesa da sua classe e dos homens e mulheres que a compunham e, na verdade, formavam sua existência.

Ainda havia pouco passeava fagueiro pelo salão, conversando com um grupo aqui, outro acolá, dançando com as moças, quase todas encantadas com o jovem elegante de colarinho espontado e calças de apresilhar nos botins repuxados pelos suspensórios de seda. Dir-se-ia que o tão decantado amor por Luiza havia sido esquecido mal ele adentrou ao salão. Sua imagem estava longe quando ele, após um momento de timidez, esmerou-se em cortejar as jovens casadoiras, especialmente a menina Cerqueira, alva como a luz que a lua enviava à Terra, com cabelos louros, cuja cor parecia ter sido tomada de empréstimo aos raios de sol, e com feições tão finas e tênues, que demonstravam ser Deus o maior entre os artistas por Ele criados. A beleza da menina Cerqueira o impressionava e, além disso, ela era a filha querida de José Cerqueira, não de Suzana, de quem Luiza fora mucama e que, lasciva, prostituía-se por meio de suas escravas, mas de sua primeira mulher, símbolo de virtude e morta muito cedo. Muitas vezes, ao ver a filha do comendador mirando-o coquete, pensou em cortejá-la, sabendo-a, do ponto de vista do dote, o melhor partido da cidade da Bahia, embora aquele com quem ela se cassasse, se transformasse de imediato num traficante de escravos, mesmo sem jamais ter visto um negreiro.

Ferraz já não pensava em Luiza e galanteava abertamente a menina Cerqueira, quando ouviu o tiro disparado por Aprígio e, num instante, se viu entre a voz suave da jovem, criada para ser submissa aos homens, e o grito do negro armado que exigia a liberdade de sua raça. O tiro trouxe de volta a rebelião e a imagem de Luiza à sua mente, e ele já não sabia se a amava ou se a queria apenas como mucama a satisfazer os seus desejos, mas agora sabia que esse amor, se existisse, não poderia mover as travas que garantiam seu poder e sua força na sociedade.

O disparo o fez correr à janela para saber se Luiza estava entre os negros e também para avaliar a possibilidade de eles invadirem o solar. Luiza não estava entre eles. Então, como se isso fosse uma alforria a lhe permitir achegar-se à sua classe, assumiu o papel de promotor público e tornou-se um general a comandar os homens dentro de casa, ordenando que fechassem as janelas e trancassem as mulheres e crianças nos quartos do primeiro andar e que cada um tomasse de trabuco ou arma disponível e se postasse no lugar por ele indicado para defender, se preciso com a vida, o sobrado de Antônio Vaz, como se defendessem a insígnia de sua própria existência que o amor por Luiza fazia-o por vezes desprezar.

Antes que a última janela se fechasse, Aprígio deu o sinal de ataque e os negros correram para cima da patrulha entrincheirada na varanda e que reagiu com uma carga de artilharia, mas as balas se perdiam no escuro e os negros pareciam surgir de toda parte e foram muitos os soldados que tiveram a garganta cortada por uma parnaíba afiada ao voltar-se para repor a munição do bacamarte. Muitos também foram os negros que, varados pelas balas dos soldados e dos homens postados por trás das janelas, caíram tingindo de vermelho o jardim iluminado da mansão.

Aprígio surpreendeu-se com a resistência. Não contava com homens armados entrincheirados no sobrado tornando-os alvos fáceis, e recuou, pois, mesmo estando a patrulha quase dizimada, percebeu que lhe restava pouco mais de dez homens e não apenas brancos, mas muitos negros jaziam mortos no jardim da casa do comendador. Então reuniu os guerreiros num retroceder estratégico e montou um novo ataque. A noite ainda não começara a se desfazer e disfarçou o movimento dos negros, mobilizados agora em redor do sobrado avarandado. Silenciosos, juntaram-se em bloco nos fundos da casa onde ficava a cozinha, cujo movimento não havia sido disperso pelos tiros, pois duas negras, embora assustadas, continuavam a fritar os petiscos, convencidas de que o contratempo iria passar e os brancos logo voltariam a demandar comida. À frente dos homens, Aprígio deu ordem para arrombar a porta. Nem sequer foi necessário grande esforço para que ela se abrisse ao meio e, tampouco as negras puderam gritar, pois as facas já lhe haviam cortado o pescoço antes que o susto passasse e lhes trouxesse de volta a voz. A cozinha ficava no fundo da sala e os negros avançaram silenciosamente seguindo pelo único corredor que fatalmente levaria ao grande salão, quando, de surpresa, atacariam os homens que estariam de costas para eles vigiando à frente da casa. Poucos minutos antes, no entanto, Ferraz estranhou o pouco movimento e supôs que os negros preparavam esforços para um novo ataque, por isso, chamou para dentro do salão os poucos soldados que ainda restavam da patrulha. Assim todos ali estariam mais protegidos e preparados caso fosse necessário um novo confronto. Abrindo cuidadosamente a porta, ele os fez entrar com suas espingardas em posição de tiro. Mas, antes que a porta fosse fechada, Aprígio invadiu o salão por trás, acompanhado de dez negros, e gritando enfurecido:

— Morte aos infiéis! Que Alá nos proteja!

Os homens, ajoelhados próximo às janelas do sobrado, carregavam suas armas com munição nova e foram surpreendidos, mas os soldados que acabavam de entrar atendendo o chamado de Ferraz achavam-se em prontidão e brandiram suas espingardas contra os revoltosos, que caíram baleados, com a parnaíba em punho. Ao ver o sangue dos companheiros manchar os belos tapetes do comendador Antônio Vaz, Aprígio percebeu que a empreitada corria risco e desabalou escada acima acompanhado de dois capangas procurando uma rota de fuga. Arrombou a porta do primeiro quarto e sorriu ao ver a menina loura de pele esbranquiçada tremendo de medo, abraçada à senhora Belens, que a protegia e nem por um momento deixou de segurar seu leque de plumas brancas com o qual acreditava esconder-se dos animais negros que invadiam a casa. Era a menina Cerqueira esperando chorosa o desfecho da luta. Com uma das mãos, Aprígio a agarrou pela cintura, com a outra encostou a parnaíba no pescoço alvo e assim voltou ao topo da escada e deteve Ferraz e os soldados que se preparavam para subir.

— Um passo à frente e o facão cortará a garganta dessa cabra albina — gritou, encolerizado, e ninguém teve dúvida de que ele o faria.

Ferraz parou e pediu calma, fez os soldados retrocederem e disse, procurando conter o medo:

— Solte-a e o deixaremos ir. Tem minha palavra.

— E eu lá acredito em palavra de branco, seu bosta? — retrucou Aprígio. — Ou crê que vou cair na sua lábia, como Luiza, aquela cadela infiel que se enrabichou por sua fala mansa e que, Alá os perdoe, parte do meu povo chama de rainha. Eu sei quem você é, seu promotor de merda! É você que nos acusa nos tribunais e nos manda ao pelourinho. E eu vou sangrá-lo com minha faca e arrancar sua cabeça para dar de presente a Luiza. E saia da minha frente se não quiser que faça isso agora.

Antes que Ferraz pudesse responder, uma voz medrosa saiu debaixo da grande mesa no centro da sala e junto com ela emergiu, tremendo e descontrolado, José Cerqueira, o traficante de escravos, que, num esforço supremo, conteve seu medo e falou:

— Dinheiro, eu... eu... lhe dou muito dinheiro, mas solte minha filha, por favor — e começou a chorar como uma criança.

— Quem disse que eu quero seu dinheiro manchado de sangue, amealhado com a dor e o sofrimento do meu povo? — redarguiu Aprígio. Voltando-se para o capanga ao seu lado que portava um mosquetão, ordenou: — Mate-o!

Nesse momento a calça plissada do comerciante, perfeitamente ajustada ao corpo pelo mais afamado alfaiate da Bahia, molhou-se inteiramente e um odor de excremento tomou conta do salão, como se a sua covardia estivesse esvaindo-se pelos orifícios do seu corpo. O capanga preparou-se para atirar, mas Ferraz apontou-lhe a arma e disse:

— Espere, se fizer isso, você também morre — disse e, mirando Aprígio nos olhos, ameaçou: — E você também morrerá, crivado de balas antes que sua faca perfure o regaço da menina.

O capanga hesitou e olhou para o chefe como a pedir instruções. Ferraz continuou falando.

— Faço um acordo. Vocês são apenas três enquanto, além de mim e desses soldados, há ainda outros que cairão sobre vocês se sangrarem o pescoço da menina. Então proponho um trato: leve-a até a porta e depois solte-a, assim estará protegido e poderá fugir sem medo, pois lhe dou minha palavra que não atiraremos em vocês.

Aprígio avaliou a situação, percebeu que tinha poucas chances diante de quase uma dezena de homens armados e, mesmo sabendo que a palavra de um branco valia tanto quanto a merda que sujava as calças do poderoso traficante de escravos, aceitou o trato.

— Muito bem, afastem-se todos. Levarei a branca até a porta e a libertarei, mas lembrem-se: um movimento apenas, um passo em falso de qualquer um e minha faca lhe cortará o pescoço como se faz com o carneiro na hora do sacrifício.

Os homens recuaram e Aprígio, seguido pelos negros que lhe davam cobertura, deslocou-se vagarosamente em direção à porta do sobrado. Se alguém pudesse ler a mente de Ângelo Ferraz, saberia que ele não pretendia cumprir sua promessa e apenas esperava o negro soltar a menina para ordenar aos homens que descarregassem nele o fogo de suas armas. Tampouco Aprígio pretendia cumprir aquele trato e esperava apenas a segurança do portão, abrindo-lhe o caminho para fuga, para pressionar a parnaíba sobre a jugular da menina, vingando-se naquela carne esbranquiçada de toda humilhação que outros como ela o haviam impingido.

Ambos, não importava a cor que tinham na pele, agiam como agem os homens. Porém, no exato momento em que cada uma agiria como sempre agem, de toda a parte surgiram negros vestidos de branco e tomaram conta da varanda do sobrado. E no topo da grande escada em caracol que findava na porta onde Aprígio estava agora, prestes a enfiar sua parnaíba na garganta da menina, surgiu Luiza à frente deles e ordenou, com uma voz que não admitia contestação.

— Solte-a! Os negros da Bahia se levantaram em busca da liberdade e não para matar crianças.

Voltando-se para Ferraz e seus homens também lhes ordenou, num tom surpreendente que os fez obedecer, embora eles é quem estivessem acostumados a mandar:

— Fiquem onde estão. Não viemos aqui para matar mulheres e crianças em festa. Comigo estão muitos negros e a um aceno meu eles cairão sobre vocês, mas isso pouco agrega à causa da liberdade.

Aprígio ainda pensou em aproveitar-se da situação, mas os negros que secundavam Luiza eram muitos e inteiramente fiéis, por isso preferiu soltar a menina e desceu a escada vagarosamente acompanhado de dois capangas. No pé da escada, vaticinou:

— Ainda nos veremos, seu promotor de merda! — E voltando-se para Luiza: — Vou cortar seu pescoço como se faz com um carneiro e sacrificá-la no altar do Profeta, que jamais permitiria que uma mulher, uma cadela infiel, acostumada a deitar com brancos, liderasse a guerra santa.

Os negros olharam para Luiza e esperavam apenas seu aceno para cair em cima daquele que ousava ofender a rainha negra da Bahia, mas ela, com um olhar, os conteve deixando Aprígio partir.

Ângelo Ferraz estava paralisado e não sabia o que fazer. Fora surpreendido e tinha consciência de que aquele desfecho o desmerecia diante dos homens do sobrado e de Luiza. Ela finalmente tinha percebido de que lado ele estava e nunca havia estado em outro lado que não esse. Ele não podia entender que motivos a levaram a deixar a luta e desviar-se para o sobrado, mas o modo como havia se conduzido, salvando a menina Cerqueira, a engrandecia até aos olhos dos senhores. E ele admirou a força daquela mulher que se dedicava inteiramente à causa da libertação dos escravos, sem deixar que a crueldade fosse justificada por ela.

Dizem que o amor nada mais é do que a admiração levada ao extremo e, se assim é, naquele momento Ferraz amou Luiza loucamente. Talvez por isso aproximou-se dela, tentando justificar-se.

— Luiza, fomos atacados covardemente. Não fosse isso e não me veria com uma arma na mão.

A princesa olhou para ele e seus olhos perguntaram pelo filho, antes mesmo que as palavras fossem articuladas:

— Onde está Luís? Você me disse que em sua casa ele estaria a salvo.

Ferraz entendeu ter sido esse o motivo que a fizera desviar-se, ainda que momentaneamente, do seu objetivo e respondeu de imediato:

— Está a salvo com Emerenciana.

— Disseram-me que ao sair você o despachou não se sabe para onde e por isso estou aqui, para saber do seu paradeiro.

— Fiz isso para protegê-lo, Luiza. Tive medo que o Martins fosse me ver e o encontrasse lá. Isso não seria bom para ele e...

— E comprometeria a reputação do promotor — interrompeu Luiza, cheia de ironia.

— Isso não me passou pela cabeça. Seu filho está com o padre Nicanor no Mosteiro de São Bento junto com Emerenciana que o trará de volta à minha casa amanhã e, caso seja necessário, irá para o Recôncavo como você determinou.

— Luís está em segurança? — perguntou Luiza, e seu semblante havia se desanuviado.

— Sim, segurança muito maior do que se estivesse em minha casa. E lhe prometo que ele voltará aos seus braços quando você voltar.

Luiza sorriu um sorriso triste, como se uma premonição tivesse desenhado as linhas dos seus lábios, e indagou, à espera da resposta que sabia que viria:

— E seu eu não voltar?

— Emerenciana já tem as ordens. Seu filho irá para o Recôncavo e estará a salvo, qualquer que seja o desfecho dessa loucura.

— Não sei se acredito em você. Não faz muito tempo ouvi seus lábios dizerem que não sairia de casa e tampouco entraria na luta, mas não tenho alternativa agora.

— Não entrei na luta, Luiza. Não, até que fomos atacados covardemente.

Luiza, altiva, não respondeu, apenas olhou para ele, e não havia desprezo ou desdém. Havia o que sempre houve, uma estranha boa vontade para com aquele homem bonito, frágil como soem ser alguns homens. Confuso, ele tentou mais uma vez demovê-la da luta, talvez para esconder sua pusilanimidade:

— Luiza, peço-lhe pela última vez, abandone essa loucura, eu posso salvá-la. Venha comigo e juro que nada farão contra você.

A Princesa permaneceu calada, não atendeu de imediato ao chamado dos seus comandados, convocando-a de volta à luta, e ficou por um momento a olhar aquele homem sem saber quem ele realmente era. Ferraz percebeu que nada mais tinha a dizer, mas ainda assim disse:

— Ficarei aqui, não vou participar dessa luta irracional, ainda que por vezes deseje fazê-lo, a não ser para salvá-la e, quem sabe, evitar uma carnificina.

Dessa vez Luiza sorriu com desdém e retrucou:

— Você não ficará aqui. Você virá para a luta e não estará ao meu lado.

XIII

Quando Luiza percebeu que Aprígio e seus homens haviam se desviado da tropa tomando o rumo da Freguesia de Nazaré, compreendeu de imediato seu intento e pensou em deixá-lo livre para seguir seu caminho, afinal aquela seria uma noite de morte como ele parecia desejar. Apesar disso, e de saber que não pode haver comiseração em homens que arriscam a vida para defender a liberdade ou para manter uma escravidão hedionda, ela não podia compactuar com a crueldade sem sentido ou a morte de mulheres e crianças unicamente como forma de intimidação. Aprígio pretendia impor-se pelo terror, para ele parecia que quanto mais brancos matasse, mais forte ficaria, mas sua sanha sanguinária não podia prevalecer, pois ela resultaria em mais sangue e não na liberdade.

Luiza e Ahuna haviam imposto aos chefes da rebelião um protocolo, um acordo de guerra no qual estava estabelecido a não agressão gratuita de homens e mulheres que viviam sua vida cotidiana. Os negros não sairiam às ruas apenas para atear fogo à cidade, matando mulheres e crianças como bárbaros. Seu alvo seriam os quartéis, os prédios públicos, as cadeias e todas as construções que representavam a tirania. A liberdade seria conquistada desse modo, atacando o âmago do poder, e não os que vivem sob seu manto.

Assim tinha sido até então, e o que faziam eles nesse momento senão pôr-se em marcha em direção ao quartel de Água de Meninos, o baluarte do poder escravista? Se fossem capazes de enfrentar os aquartelados e sua cavalaria, dariam mostras da sua força, exibindo-se, não como um bando de escravos revoltosos saindo pelas ruas apenas para matar brancos, mas como guerreiros que deveriam ser temidos. E mesmo que fossem dizimados, teriam o respeito dos vencedores e demonstrariam não ser a escravidão o seu destino, pois eram capazes de lutar com coragem e quase desarmados com quem os via como bestas e pretendiam escravizá-los para sempre.

O povo negro da Bahia se orgulharia dos guerreiros que foram às ruas quase sem armas enfrentar os senhores da tirania e do medo. Esse orgulho seria o legado a ser deixado para os filhos e netos dos escravos que conquistariam no futuro a liberdade, caso não fosse possível conquistá-la agora.

Mas quando Aprígio se apartou do exército negro e com um pequeno grupo de homens tomou a direção do solar do comendador Antônio Vaz, não foi apenas a vontade de manter um protocolo de guerra que levou Luiza a segui-lo. Algo mais forte se impôs, algo que estava longe da guerra e próximo ao que ela mais amava. A negra Edum a seguia por toda parte. Mesmo velha, acompanhava os negros marchando com eles pelas ruas da cidade, e, em meio à batalha, veio dizer-lhe, informada por um negro morador da Rua da Faísca, que o promotor público mandara levar Emerenciana e o pequeno Luís para um local desconhecido, vestira sua melhor roupa e fora dançar com as brancas na mansão do comendador em Nazaré.

No pensamento de Luiza reinava a vontade de liberdade, a guerra sem tréguas à escravidão, que jurou fazer ainda no tumbeiro, quando sua voz consolava os negros perdidos da terra e de si mesmos. Mas se ela se sentia princesa, quando se tratava de seu filho Luís tornava-se súdita. Ela, ninguém mais, sabia o quanto fora difícil apartar-se dele para assim poder liderar os homens. E só ela sabia o tamanho da dúvida que a dominou quando resolveu enviá-lo para a casa do promotor no dia da revolta, pois sabia ser ele um dos homens mais poderosos da cidade. Ele dizia amá-la e com ela havia dividido o leito muitas vezes e poderia, se ela não pudesse, proteger seu filho.

Sabia que o chefe de polícia invadiria sua casa tão logo a descobrisse liderando a rebelião ou talvez antes, como na verdade havia acontecido. Caso seu sangue fosse derramado, o do pequeno Luís também o seria, se não houvesse alguém para protegê-lo. Por isso, deixou seu filho na casa do promotor, pois só ele poderia salvá-lo da ira do Martins, ou da vingança dos brancos, mas não o deixou só e sim aos cuidados de Emerenciana, que era como se fosse ela mesma. E por isso lutava sem remorso, sabendo que seu filho estaria a salvo, fosse qual fosse o fim daquela noite.

Mas quando Edum lhe disse que Ferraz estava na mansão de Nazaré e tinha despachado o pequeno Luís para um local desconhecido, um medo maior que a morte apossou-se da princesa. Por seus olhos passou a visão do grande sobrado em chamas e de Aprígio rasgando com sua parnaíba o pescoço de Ferraz, separando-a do destino do seu filho, a única sina mais importante que a libertação dos negros. E, sem poder desanuviar seu pensamento, ela e seus homens deixaram o exército de negros a caminho do quartel de Água de Meninos e foram para a mansão do comendador Antônio Vaz, chegando no exato momento em que o facão de Aprígio estava prestes a cortar o tenro pescoço da menina Cerqueira.

Que estranhos desígnios tinham os Orixás, quando permitiram que Luiza, que ali tinha ido para proteger seu filho, salvasse a vida da filha do maior traficante de escravos da Bahia? Que estranho desiderato tinha Alá, ao colocá-la no caminho de Aprígio para impedir que ele sacrificasse uma criança no altar de sua crueldade?

Luiza não tinha motivo para questionar a vontade dos deuses. Sabia apenas que havia feito o que devia ser feito. E agora, ao ter a segurança de que seu filho estava a salvo em companhia de Emerenciana, restava-lhe apenas atender ao chamado dos negros e seguir rumo ao quartel de Água de Meninos, onde se daria a batalha final entre os brancos vestidos com seus uniformes escuros e os negros, vestidos de branco.

XIV

Centenas de negros estavam concentrados na Rua do Pilar, quando o grupo comandado por Luiza a eles se reuniu. Ahuna a esperava, como se não quisesse iniciar a batalha final sem ter à frente da tropa aquela que seria a rainha dos negros na Bahia.

A sorte estava lançada para ambos os lados. Martins, o chefe de polícia, chefiava os brancos e havia reunido todas as forças disponíveis no quartel, sabendo que os negros seriam obrigados a passar por ali quando se dirigissem a Itapagipe, a caminho do Cabrito, onde se daria o encontro com outros insurrectos vindos do Recôncavo. Preocupava-se, contudo, com as famílias que viviam no Largo do Bonfim, passagem obrigatória a quem se dirigisse ao Cabrito, nas proximidades de diversos engenhos onde os negros poderiam sublevar-se. Por isso, sabendo ter o tempo a seu favor, já que os negros estavam sendo contidos pelos numerosos quartéis e corpos de guarda espalhados pela cidade, deslocou-se para o Bonfim à frente de um destacamento de soldados para avisar a comunidade e pôr os homens de prontidão. Posicionou a patrulha de modo a que dizimasse os negros que por acaso saíssem ilesos da batalha de Água de Meninos e tentassem alcançar o Cabrito.

Martins havia ordenado aos corpos de guarda que atacassem os negros ao longo das ruas da cidade, de maneira a empurrá-los em direção ao quartel onde estava postado um esquadrão de cavalaria, com cerca de quinhentos infantes do batalhão de infantaria, todos fortemente armados, e tropas federais que logo acudiriam ao local. O chefe de polícia pretendia atrair os negros para Água de Meninos, pois ali havia concentrado as forças de resistência da cidade e jamais poderia imaginar que, longe de estarem sendo atraídos, eles se dirigiam exatamente para lá, pois não desejavam passar ao largo da luta, ou contentar-se com a morte de algumas dezenas de brancos. Ao contrário, os africanos queriam enfrentar o maior destacamento dos brancos para mostrar, não importando qual fosse o resultado da batalha, a força, a honra e a coragem de homens que já não admitiam ser escravos.

Não passava pela cabeça do chefe de polícia que o plano dos rebeldes fosse um ataque frontal ao quartel de cavalaria, uma ousadia sem limites, sendo mais provável que eles, acostumados a artifícios e artimanhas, se dividissem e atacassem pelos flancos, fugindo da carga aberta de cavalaria e do fogo cerrado. Ou então que desviassem do quartel, seguindo pelas ruas internas em direção ao Cabrito na tentativa de junção com os escravos vindos do Recôncavo. Ao perceber que os negros se reuniam em volta de Água de Meninos, Martins voltou a galope do Bonfim para comandar pessoalmente a batalha e, reunindo-se com Teles Carvalhal, o comandante da cavalaria, armou uma estratégia de ataque de modo a dizimar a horda de escravos em poucos minutos, não importando que caminho preferissem tomar.

Do outro lado, liderados por Ahuna e Luiza, uma multidão de negros com barretes brancos estava pronta para a batalha. Via-se em cada semblante a disposição para a luta e uma espécie de resignação, pois cada um deles levava, além do patuá que os protegeria das balas dos soldados, a certeza de que Alá e os Orixás haviam se unido para protegê-los e o fariam, fosse na morte ou na vitória.

Ahuna caminhava ao lado de Luiza no meio dos negros convocando-os para a batalha final e não havia ódio em seus olhos mesmo quando Aprígio, que também havia voltado a se reunir ao exército, questionou sua liderança e sua estratégia, advinda, segundo ele, não da sua tradição de guerreiro, mas da cabeça louca daquela mulher que se dizia rainha. Aprígio, pouco antes da batalha, tentava inflamar os homens contra Ahuna afirmando que era suicídio enfrentar o quartel de cavalaria, mostrando como seriam dizimados num piscar de olhos, e denunciava que aquele plano não os tornaria vitoriosos, e nem sequer mártires, pois seriam mortos como cachorros.

Ahuna deixou-o falar, sabendo que suas palavras cairiam no vazio e, em nenhum momento, teve dúvidas sobre que caminho deveria seguir. Continuou andando entre os negros até perceber que era chegada a hora da luta. Então, elevou-se entre eles e, junto a Luiza, que carregava o estandarte verde e branco, disse:

— Vamos à luta, meus irmãos! Dela sairemos mortos ou livres, mas de uma maneira ou de outra estaremos libertando os negros da Bahia e glorificando a África, a terra de todos nós.

Por toda a parte ouviram-se palavras de ordem e de louvor aos deuses. E não era possível distinguir se eles louvavam Alá ou Oxalá, se pediam proteção ao Profeta ou a Ogum, mas todas as vozes pareciam amalgamadas num grito sonoro de liberdade.

XV

Eram ainda tímidos os raios de luz que surgiam na baía de Todos-os-Santos, quando os soldados aquartelados em Água de Meninos perceberam um bater de tambores cadenciado, anunciando a proximidade do exército de negros. E, apesar de acostumados ao ritual das batalhas, os soldados impressionaram-se com a marcha de africanos que começava a se distinguir na Rua do Pilar. Eram centenas de negros, todos vestidos de branco tendo à frente um guerreiro e uma mulher, com porte de rainha carregando um estandarte verde e branco. Nas mãos de cada um deles divisava-se uma arma, fosse um facão, uma pistola, um porrete, uma parnaíba ou um mosquete. Alguns portavam lanças, mas o que os incomodava era a determinação com que a marcha avançava, dada não somente pela cadência dos tambores, mas pelo espírito resoluto que parecia mover cada um daqueles homens.

A marcha impressionava, e por um momento ouviu-se no quartel apenas o barulho de vozes e do tambor que dela emanava. Martins estava atônito sem entender o que se passava, pois não podia admitir que os negros, por mais ousados que fossem, tomassem a ofensiva de peito aberto contra o quartel que representava o poder maior na cidade da Bahia. Por um momento, sua iniciativa esvaiu-se na cadência da percussão que parecia anunciar o fim da escravidão. Mas ao ver a massa negra aproximando-se do quartel, ele saiu do torpor e gritou aos oficiais que aguardavam suas ordens:

— Atirem! Atirem sem piedade!

A trezentos metros do quartel de Água de Meninos, a multidão foi recebida por uma salva de tiros de pistola e fuzil. Mas, apesar das baixas, avançou com decisão, e parecia que cada negro caído era substituído por outro imediatamente.

Martins temeu pela sorte do quartel e deu ordens ao encarregado da cavalaria:

— Joguem a cavalaria em cima deles! Que sejam pisoteados pelos cascos dos cavalos dos brancos que dominam esta terra!

Então uma pesada carga de cavalaria carregou nos dois lados da coluna humana, mas os negros a enfrentaram corpo a corpo. E se a algazarra que se formou desestruturou a formação do bloco de insurrectos, desarticulando-os, também tornou mais difícil o trabalho dos atiradores, cujos tiros agora já não tinham o alvo que, embora móvel, antes era nítido e concentrado e, agora, desalinhava-se em várias frentes fazendo as balas atingir, muitas vezes, os próprios soldados.

Os negros enfrentaram os cavalarianos com uma coragem que os inquietou e não lhes parecia estar enfrentando escravos oriundos das senzalas, mas guerreiros treinados e prontos a defender a vida e a liberdade com o que tivessem nas mãos. Ahuna viu aproximar-se a definição da batalha. Sabia que, se seus homens fossem capazes de resistir à carga de cavalaria, sairiam fortalecidos e poderiam atacar o quartel em várias frentes. Por isso, avançou em desespero com a espada na mão, em busca do comandante da tropa, sabendo, guerreiro que era, que cortada a cabeça o corpo se retrairia.

Foi então que Ahuna viu Carvalhal no meio da refrega, comandando a cavalo os seus homens, mas um pouco afastado, protegendo-se do combate corpo a corpo como um general cuja coragem estivesse fundada na bravura alheia. E assim, varando a espada por todos os lados como louco, a imaginar talvez que ainda estava no tumbeiro e precisava matar todos os que pretendiam escravizá-lo, aproximou-se do comandante e num movimento rápido, agachou-se como se tivesse sido ferido, para então, agarrando o punho da sua espada com as duas mãos, dar um salto felino, pulando mais alto que o cavalo em que ele montava, para cravá-la com força no seu peito.

Ambos despencaram de cima do cavalo e Carvalhal caiu por terra gravemente ferido. Mas Ahuna não teve tempo de concluir seu intento, pois nesse momento Martins, que havia assumido pessoalmente o comando da tropa, chegou à frente de um grande destacamento de cavalarianos e carregou sobre os negros. Ahuna tentou levantar-se, para fugir da carga de cavalaria, mas sentiu a perna latejar, quebrada na queda, e logo depois um tiro no peito o atingiu, disparado da pistola do chefe de polícia que de há muito percebera nele o líder dos amotinados.

O golpe que o mataria seria dado, não fosse um grupo de negros que protegiam Luiza que, ao seu comando, derrubaram por trás o cavalo de Martins, causando enorme alvoroço entre os cavaleiros que não sabiam se seguiam atacando ou socorriam o comandante, dando o tempo necessário para que Ahuna fosse retirado do campo de batalha. Mas o sangue que escorria do peito do líder malê anunciava a sua morte. Deitando-o embaixo de uma amendoeira que lhe serviria de túmulo, Luiza o pôs no colo, sabendo que seu amado e protetor alcançaria em breve a verdadeira liberdade e estaria no paraíso com as virgens prometidas por Maomé. Então, beijou-o e as lágrimas caíram sobre seu ferimento como um bálsamo que não aliviava a dor, mas tornava mais fácil sua passagem para a glória de Alá. Ele sorriu para ela e, num esforço supremo, disse:

— Vá em frente, minha rainha. Volte para a batalha e siga liderando os negros que buscam a liberdade. Eu, em breve, estarei livre.

Luiza beijou-o na boca e o sangue do seu homem, seu líder e seu protetor misturou-se à sua saliva e a fortaleceu, como se sua coragem estivesse misturando-se com a dele.

— Vá em paz, meu amado. Em breve nos encontraremos nos braços dos deuses. Mas, antes disso, os negros da Bahia tomarão o quartel amaldiçoado que aprisiona nossa liberdade.

Beijou-o novamente nos lábios, um beijo longo e doce, para aliviar o último sopro daquele que era o Maioral entre os negros da Bahia.

O grito desesperado de Luiza mostrou então aos homens que Ahuna estava morto. Sem parar de gritar, ela empunhou novamente o estandarte e seu lamento transformou-se num grito de guerra:

— Morte àqueles que escravizam o povo da Bahia! Ao ataque, meu bravos, em nome de Alá e dos Orixás!

E voltou ao campo de batalha, sabendo que lutando pela liberdade estaria rezando pela alma do maior de todos os guerreiros.

XVI

"Você virá para a luta e não estará ao meu lado." As palavras de Luiza latejavam na cabeça de Ferraz no momento em que os homens deixavam a mansão de Antônio Vaz para unirem-se ao chefe de polícia que enfrentava os negros rebelados no quartel de Água de Meninos. Todos esperavam que Ferraz os liderasse nessa luta e não podiam compreender sua hesitação dando margem a rumores de que ele estaria protegendo Luiza, a negra líder da rebelião e que seria feita rainha caso os negros vencessem a batalha. O jovem promotor enfrentava o dilema que acompanha os homens e contrapõe o amor ao desejo de glória e poder. E, embora a imagem altiva de Luiza estivesse em seu pensamento, a condená-lo pelo caminho que seguiria, ainda assim ele o seguiu e juntou-se aos homens para defender a escravidão.

Mas, ao chegar ao quartel de Água de Meninos, Ferraz percebeu que a batalha se findava e os negros que ousaram desafiar o poder dos senhores de escravos estavam sendo massacrados. Após a cavalaria dispersar a marcha de revoltosos, carregando por todos os flancos, o chefe de polícia Martins retornou ao quartel e deu ordem às centenas de soldados postados em suas posições para atirar sem parar. E que cada soldado, após disparar, desse lugar a outro com nova munição de modo a que a carga não fosse interrompida. E assim, durante um quarto de hora, o quartel cuspiu um fogo contínuo contra os insurrectos e o que se viu foram negros tombando mortos ou feridos por toda a parte. Então, num golpe de misericórdia, Martins ordenou uma nova e definitiva carga de cavalaria e pôs fim à batalha matando os poucos negros que ainda resistiam, e colocando em fuga uma multidão deles, impelidos para o mar onde alguns conseguiam fugir a nado e outros se afogavam.

Antes desse final se desenhar, Ferraz foi em busca de Luiza, cujo ombro fora ferido de raspão por uma bala de pistola e permanecia num local acobertado, mais afastado do quartel, amparada por Edum, a dar ordens aos poucos negros que ainda a protegiam. Ferraz a avistou e gritou sem aproximar-se:

— Luiza, a batalha está perdida! Venha comigo e eu a protegerei.

Luiza respondeu, sabendo que seu destino estava selado.

— Vá embora, antes que meu coração seja vencido e minha arma mate aquele que se aliou à escravidão. Jamais abandonarei meu povo!

Ferraz insistiu, tentando aproximar-se:

— Luiza, a luta está perdida. Se você cair nas mãos do Martins, ele fará de você um exemplo do horror que espera aqueles que participaram da rebelião. Venha comigo!

Um tiro vindo não se sabe de onde abateu um dos negros ao seu lado, mas ela negou mais uma vez:

— Jamais deixarei meu povo, mesmo que a tortura seja o meu destino.

Ferraz esgueirou-se pelos cantos decidido a tirá-la dali e a impedir que o fogo cerrado comandado pessoalmente pelo chefe de polícia a atingisse. Abaixou a pistola para tentar aproximar-se dela. Já estava bem próximo, quando Aprígio, que lutava nas proximidades e acabava de degolar um soldado, o viu e, num átimo, saltou em sua frente, interpondo-se entre ele e Luiza. Com a parnaíba na mão deu um grito aterrador e, aproveitando-se da distração do promotor, atacou-o. Mas, a um sinal de Luiza, o último entre os negros que lhe davam cobertura agarrou-o pelas costas, antes de a faca atingir o ventre de Ferraz. Aprígio virou-se e a ferocidade estampada em seu rosto desnorteou por um segundo o negro que o agarrava e tal retraso não lhe impediu de erguer a espada. No mesmo instante, o homem sentiu a faca sendo cravada em seu peito. Agora, naquele canto afastado do quartel, cujo entorno estava repleto de corpos negros, restavam apenas os três e ali se desenhava uma batalha particular. Ferraz aproximou-se finalmente de Luiza e sacou novamente a pistola pronto para atirar em Aprígio que, com a parnaíba na mão, viu-se à sua mercê. Entretanto, longe de intimidar-se, ele correu alucinado para cima do promotor como se pudesse enfrentar as balas. Ferraz esperou que ele chegasse mais perto para apertar o gatilho. Mas Aprígio voltou-se de surpresa e agarrou Luiza, puxando-a pelo pescoço e colocando-a como escudo à frente da arma do promotor. Apertando seu ombro ferido, Aprígio imobilizou-a e deu suas ordens:

— Não lhe farei mal, minha bela cadela, e ele não vai atirar em nós, pois se vê nos olhos que baba de desejo por você. Ou talvez puxe o gatilho e aí você vai ver que não há branco, mesmo enrabichado, que tenha dignidade. Agora, Princesa, você vai aproximar-se e ele lhe entregará a arma, mas estarei sempre atrás de você.

Olhou nos olhos de Ferraz e disse com um sorriso malévolo:

— Você vai lhe entregar a arma ou então atirar nela e aí ficaremos só nós dois.

Ferraz não disse nada, mantendo a arma em punho. Então, Aprígio apertou mais uma vez o braço ferido de Luiza, fazendo-a gemer e disse, com a força de quem tem poder sobre a vida e a morte:

— Ele lhe dará a arma e você vai passá-la para mim para que eu possa matá-lo ou você mesma o fará no momento em que tiver a pistola na mão. Afinal, não se pode ter complacência com um branco que lutou contra seu povo e sua liberdade, mesmo que um dia ele tenha deitado em sua cama.

Luiza aquiesceu, mas ao ver-se próxima do promotor, o encarou e os dois olharam-se nos olhos com tal cumplicidade, que se Aprígio pudesse vê-los, jamais permitiria que ela se aproximasse dele.

Ferraz, todavia, engatilhou a arma, como se fosse atirar contra ela, e Aprígio gargalhou, como a dizer que um branco jamais entrega seu poder ainda que esteja perdido de amor. Certo de que ele atiraria, recuou o corpo, afastando-se de Luiza e dando-lhe mais movimento, de modo a proteger-se do chumbo e preparando-se para atacá-lo quando ele disparasse o tiro que a mataria. Nesse momento, Ferraz entregou a arma engatilhada a Luiza que, virando-se de surpresa para Aprígio, descarregou nele o tiro mortal que o atingiu no coração.

EPÍLOGO

Centenas de corpos negros jaziam no pátio em frente ao quartel de Água de Meninos quando Luiza, amparada por Ferraz e Edum, admitiu que a luta havia terminado. A liberdade jamais estivera tão perto dos negros, mas ainda não fora dessa vez que ela seria alcançada. O sonho do califado negro que os malês queriam implantar na Bahia transformara-se em pesadelo, a ideia de uma pátria de muitos deuses onde a liberdade fosse o bem maior, fora apenas um sonho.

Mas, ainda assim, os negros, que trouxeram sua divindade para essa terra tão parecida com a África, haviam vencido. Não a batalha na terra, que essa o sangue de centenas de negros mortos demonstrava tê-la perdido, mas a batalha na mente daqueles que os consideravam como homem-bestas, inferiores e feitos para servir e carregar os brancos.

Nesse domingo de Nossa Senhora da Guia os poderosos da cidade da Bahia viram sair às ruas um povo altivo, capaz de montar uma estratégia para derrubar seu poder e de organizá-la e financiá-la em todas as suas frentes, capaz de enfrentá-los, ainda que eles dispusessem de muito mais homens e armas. E fizeram isso de modo brioso, enfrentando-os, olho no olho, com a dignidade e o orgulho de negros que, embora escravizados, jamais foram escravos.

Luiza pensava em Ahuna e na tristeza de ver seu povo derrotado. Nesse momento, um estranho desígnio fez-se decisão em seu coração, uma imposição da alma que, atávica, parecia vir de outras eras. Ela olhou para Edum e depois para Ferraz, que a havia escondido num lugar seguro no cais Dourado, longe dos olhos do chefe de polícia que a procurava incansavelmente, e disse:

— Deixe-me voltar para a África. Se me quer bem, deixe que eu volte para o meu povo.

Ferraz, que a essa altura esmiuçava formas de evitar que ela fosse condenada à morte ou ao chicote, como seriam os líderes negros que sobreviveram — não ao cadafalso, como se soube depois, pois não houve na Bahia carrasco disposto a enforcá-los, e os que foram mortos, o foram por fuzilamento como guerreiros que eram —, disse, sem muita convicção.

— Luiza, eu posso salvá-la, ou ao menos posso colocar nessa empreitada todo o meu prestígio e, assim, viveremos juntos.

Luiza replicou:

— Se eu for presa, serei o troféu que os brancos exibirão para provar que são melhores que nós. Se ficar com você, serei a mucama de luxo do seu sobrado e eternizarei minha condição de escrava.

Ferraz sabia que ela tinha razão e já não tentou convencê-la. Ela disse então o que pretendia.

— Se me quer bem, ponha-me e a Edum num saveiro e dê instruções para nos deixarem no primeiro navio que esteja voltando para a África.

Ferraz não se deu por vencido:

— Mas e seu filho, o pequeno Luís? Quem cuidará dele?

— De que valerá a meu filho ter uma mãe desonrada e morta ou torturada? Não, Emerenciana cuidará dele.

Ele insistiu:

— Ele não terá mãe?

E Luiza retrucou, altiva.

— Da mãe ele terá o orgulho! E a altivez de saber que ela lutou desesperadamente pela liberdade dos negros da Bahia. Ele terá uma mãe que lhe deixará o maior dos tesouros: o orgulho de ser negro.

* * *

O sol despontava na baía de Todos-os-Santos e seus raios pareciam tornar-se mais violáceos quando se misturavam ao sangue que nunca antes tinha sido derramado com tanta honra. Nessa hora, um saveiro singrava as águas silenciosamente tendo como rumo a luz cuja faixa brilhante iluminava um pedaço azul de oceano.

Nele, altiva, com a cabeça um pouco inclinada para trás olhando com os olhos mareados a cidade que amava, ia uma negra, uma princesa, que, mesmo sem ter sido coroada, tornara-se rainha do povo negro da cidade da Bahia.

FIM

Salvador, Bahia, 2019

INFORMAÇÕES SOBRE A
Geração Editorial

Para saber mais sobre os títulos e autores
da **Geração Editorial**,
visite o *site* www.geracaoeditorial.com.br
e curta as nossas redes sociais.

Além de informações sobre os próximos lançamentos,
você terá acesso a conteúdos exclusivos
e poderá participar de promoções e sorteios.

- geracaoeditorial.com.br
- /geracaoeditorial
- @geracaobooks
- @geracaoeditorial

Se quiser receber informações por *e-mail*,
basta se cadastrar diretamente no nosso *site*
ou enviar uma mensagem para
imprensa@geracaoeditorial.com.br

Geração Editorial

Rua João Pereira, 81 – Lapa
CEP: 05074-070 – São Paulo – SP
Telefone: (+ 55 11) 3256-4444
E-mail: geracaoeditorial@geracaoeditorial.com.br